新 不都合な日本語

大野敏明

展転社

はじめに

世の中、不条理なことばかりですね。チャイナウイルスは世界を席巻、しかし、チャイナは非を絶対認めない。ロシアはウクライナを侵略、ハマスはイスラエルを攻撃して、イスラエルは激怒して猛烈なガザ攻撃、チャイナはチベットで、ウイグルで、南シナ海、東シナ海でやりたい放題、世界の鬼っ子、北朝鮮をどこも止められない。国連安保理は機能不全。日本の地位は年々低下、経済一流、政治三流がいまや経済三流、政治五流、技術大国は消し飛びました。自民党政府は最低だけど、野党はそれ以下。少数者がのさばって、善良な市民は小さくなって生きている。「どないなっとんねん」と怒鳴りたくなる日々です。

月刊『正論』に「不都合な日本語」を連載し、それに加筆して展転社から出版したのは、平成29年のことです。その後、『国体文化』に「新・不都合な日本語」を連載する機会に恵まれ、嫌味と皮肉をちりばめた社会風刺、政治風刺のエッセイを書き続けることができました。「文は人なり」といいますが、私の脳は嫌味と皮肉で作られているらしい。

今回、5年に及ぶ連載をまとめ、若干の加筆をして『新・不都合な日本語』として出版することになったわけで、『国体文化』と展転社の好意に深く感謝します。なお、時期、状況、肩書、名称、年齢等は執筆時のものです。また、中華人民共和国と称している国については「チャイナ」と、大韓民国と称している国は「韓国」、歴史的には「朝鮮」と表記しました。

前著同様、原則として敬称は略させていただきました。

※

なお、今回はいわゆる南京事件については触れていません。同事件のについては令和4年に出た『決定版　南京事件はなかった——目覚めよ外務省！』（阿羅健一著、転展社刊）がすべてです。

新・不都合な日本語◎目次

はじめに　2

序の巻

破の巻

急の巻

序の巻

韓国1（平成31年1月）

大韓民国と称している国は、実にユニークな言動で世界を驚かせてくれますね。

最近では昭和40年の日韓請求権協定で、最終的かつ不可逆的に解決したとされる朝鮮人元労働者が起こした日本企業への賠償請求を、なんと大法院（最高裁）が認めて、日本企業に賠償金を払えという判決を出してしまった。大法院の判決だから、確定するわけで、韓国政府は「三権分立だから、政府は司法の判断を尊重する」なんて言っている。日本は怒っているけど、この怒りが韓国に伝わっているようには思えないね。

まあ、これまであの国のわがままを、駄々っ子をなだめるように「ハイハイ」と聞いて甘やかしてきたことのツケがここまで回ってきたんですね。

この裁判に関しては、韓国政府が「問題は日韓間ですでに解決している。請求に関しては韓国政府が支払うから、裁判を取り下げよ」と言うか、裁判所が同様の趣旨で請求を棄却し、韓国政府に誠実な対応を求めれば済んだ話です。それが世界の常識。個人の請求権が存在するかどうかなんて、法律をいじくるから、どんどんややこしくなっちゃった。

そもそも募集に応じて日本に出稼ぎにきた朝鮮人労働者に、賠償を要求する権利があるのかという疑問もありますよね。

ではなんで、韓国政府はそれをやらなかったのか。それは朝鮮半島の歴史を見れば分かります。

朝鮮半島では、王朝が交代すると、前王朝はすべて否定され、破壊されるのです。新羅による百済の破壊、高麗による新羅の破壊、そして１３９２年に建国した李氏朝鮮は、高麗のすべてを破壊しました。

高麗王朝は王建が打ち建てた王朝で、仏教を国教とし、白磁を重んじていました。しかし、朝鮮王朝は儒教を国教とし、仏教を弾圧し、寺院を破壊し、白磁を禁止し、青磁を作らせたのです。仏教は山に逃れ、白磁は壊されました。現在、ソウル市内にある寺は曹渓寺だけですが、これは日本統治時代に建立されたものです。きわめつけは、国姓である「王」という姓をもった者をすべて殺害したことです。そこで「王」という姓を持つ人は「田」「申」「車」「全」「金」などに姓を変えて生き延びました。どうです、これらの字には「王」が隠れているでしょ。

日本はどうですか。蘇我氏が滅んで、飛鳥文化は破却されましたか。都が奈良から京都に移って、奈良の寺は焼かれましたか。鎌倉幕府は京都を破壊しましたか。明治維新になって江戸はなくなりましたか。

日本は政権がどう変わっても、前の時代の文化は守り続けるのです。ですから、日本には縄文時代以来の文化、伝統が脈々と残り、積み重なり、重層的な文化が形成されたのです。過去の文化を破壊するなどという歴史は皆無なのです。そしてその中心には天皇がいらっしゃったのです。

この差はどこからくるのでしょう。それについてはまたあらためて述べる機会を得たいと思います。

王朝だけではありません。政権も同じなのです。前政権のやったことはすべて否定する。これが韓国の「伝統」です。韓国初代大統領李承晩は国外追放で亡命、朴正熙は射殺され、全斗煥は死刑判決、盧泰愚は懲役17年、金泳三は次男が逮捕、金大中は息子三人が逮捕、盧武鉉は自殺、李明博は実兄が逮捕、本人も逮捕起訴されている。そして朴槿恵は国会で弾劾され、失職し、逮捕され、実刑判決を受けている。現政権は常に前政権を否定する。こんな国あります?

11月の末に韓国が「慰安婦財団」を解散するというニュースが飛び込んできました。日韓で合意した慰安婦問題解決の政策を破棄したわけです。

日韓請求権協定は保守派の朴正熙時代、慰安婦財団は同じく朴槿恵時代ですから、革新派というか、親北派の文在寅政権は何が何でも否定したいのです。国家と国家、政府と政府の条約であろうが、協定であろうが、合意であろうが、約束であろうが、知ったことではない、というわけです。

では日本はどうすればいいいか。私の答えは簡単です。

日本も日韓の合意を破棄すればいい。まずは在日韓国人の永住権を取り消し、例えば、3

年の猶予期間が過ぎたら、国外追放にする。その間、在日韓国人の日本帰化を認めない。そして永住権を持たない来日韓国人についても1年の猶予をもうけて国外追放にする。そして出国した在日、来日韓国人の再入国を認めない、とするのです。韓国政府は猛反発するでしょうし、在日、来日韓国人はパニックに陥るでしょう。ですが、これは彼らが撒いた種なのです。相手が条約や協定、合意を破るなら、日本も破ればいい。

韓国政府は、日本にはどんな無理難題を言っても聞いてくれるという甘えがあります。その考えをたたき直すことが必要です。そこまでやれば、いかに韓国政府といえども、自分たちがしていることの愚かさ、過ちを悟り、労働者問題も慰安婦問題も解決されると思いますがね。

韓国2（平成31年2月）

昨年11月、韓国に行って来ました。旅行を決めた後、徴用工のとんでも判決が出たので、キャンセルしようかとも思ったけど、行くことにしました。

韓国は3年ぶり14回目です。今回、行って驚いたことがふたつ。ひとつは日本人の若い女性がやたら多いということです。

ソウル一の繁華街、明洞（ミョンドン）を歩いていると、すれ違う数組にひと組は日本人女性です。彼女らの多くは化粧品などの買い物、エステ、むかしながらの垢すり、Kポップのおっかけなどが目的で、慰安婦像にも徴用工判決にも興味はないようだったね。でも、それは明洞だけの話で、明洞以外で日本人に会うことはなかった。要するに彼女たち以外の日本人はほとんど訪韓していないということだね。

ふたつ目は、韓国人が頑張って日本語を使っていること。もちろん、日本人観光客に来てもらうためだ。

私が昭和57年にソウルに行ったとき、街なかで日本語で話していると、「日本語使うな」と日本語で怒鳴られました。居酒屋に行くと「日本人に売るビールはない」と英語で言われました。タクシーには「日本人お断り」と日本語のステッカーが貼ってありました。こういうヒステリックな幼児的対応というのは、韓国ならではです。

しかし、現在の明洞は日本語の看板が氾濫(はんらん)し、ほぼどの店でも日本語が通じ、飲食店のメニューは日本語が併記されている。たまに、かなが間違っていたりするけど、それはお愛嬌。ソウルのメインストリートの世宗路には観光案内所ができていて、「日本語のソウル地図はありますか」と日本語で聞くと、「はい、これです」と若い女性がにこやかに日本語で地図を差し出してくれました。

明洞に限らずソウル中心街は、赤いゼッケンを付けた3人組が歩いていて、ゼッケンには「日本語」「中文」「Ｅｎｇｌｉｓｈ」と書かれている。「日本語」と書かれたゼッケンを付けている人は日本語ができる観光ガイドというわけです。

私も試しに、「日本語」と書かれたゼッケンのお嬢さんに道を聞いたのですが、これまたにこやかに丁寧に教えてくれました。日本語もかなり上手でした。かつては考えられないことです。

日本大使館にも行ってみました。現在、大使館は建て替え中で、移転しています。しかし、慰安婦像はしっかり元の大使館の方角を見つめていて、横には慰安婦像を守る人のテントがあり、像の横には若い警官が、何のためか知りませんが立っています。

公道上に無許可で像を設置することは韓国の国内法で禁止されているし、外国の公館の前に、その国を侮辱する物を設置するのも国際法で禁止されていますが、この警官は違法な設置物を守るために立っているとしか思えません。何とも奇妙な国だね。

私はその警官に韓国語で尋ねました。

「大使館はどこに移転したんですか」

「知りません」

「大使館が移転したのだから、慰安婦像がここにあっても意味ないでしょ」

すると警官は返事をしなかったので、私は怒鳴りました。

「意味ないだろ！」

すると若い警官は私に向き直って直立不動になり、「はい、意味ありません」と答えました。

韓国は儒教の国ということになっているので、高齢者である私の問いかけに答えないことは大変失礼になります。ですから私は怒鳴ったのです。

問題はここからです。ある韓国人が私に質問をしました。彼は日本勤務の経験もある日本通で、日本語もペラペラです。その彼が「日本人はなぜもっと韓国に観光にきてくれないんですか。韓国では日本人観光客誘致のために、言葉もふくめていろいろ努力しています。鉄道も日本語アナウンスを入れているし、表示も日本語を増やしています。もっと日本人に来てほしい」と言うのです。

かつて中国人観光客があふれていたとき、明洞では「中国人30%ｏｆｆ、日本人10%ｏｆｆ」なんて看板が乱立して、日本人は怒っていました。ところがいま中国人はＴＨＡＡＤ（終末高高度防衛ミサイル）の影響もあってさっぱり。だから日本人に来てほしいのです。しかし、日本人観光客は増えていません。修学旅行も減っています。韓国からは日本に年間７００万人が来ますが、日本からは２００万人です。

なぜ増えないのか。慰安婦像を作り、徴用工判決を出し、これだけ日本を侮辱すれば、いかなお人よしの日本人でも嫌気がさすよね。そのことが全く分かっていないのです。

私は今回、韓国に行ってつくづく思いました。「この国は自分たちが日本にどんな失礼なことをしているか、自覚がない。この国と理解し合うことは不可能。この国につける薬はない」と。

ちなみに「文在寅」と「問題人」の韓国語の発音は「ムンジェイン」で全く同じです。

日教組1（平成31年3月）

日本教職員組合という小中高の教員でつくる組織がありますな。時代遅れの、何のために存在しているのか、さっぱり分からない団体であります。最盛期は8、9割の組織率を誇っていましたが、現在は2割強に低迷、新卒者の新規加入も2割を割り込んでいます。かつて日教組から分派した共産党系の全日本教職員組合（全教）の組織率は3％強です。両組合とも、大方の教員の支持を得られていないってことだね。

しかし、これらの者どもがかつて猛威を振るった時代があった。私が小、中、高校生の時代です。

今回は日教組の非人道的、非民主的、非常識的、そして自分たちのイデオロギーのためには教え子の人権を踏みにじってもテンとして恥じない過去（多分現在も）について、私の経験をお話ししましょう。

昭和36年、私は小学校4年生でした。60年安保騒動の翌年です。

三鷹市立第三小学校4年2組、児童数54人、担任はTという昭和2年か3年生まれの女性教師。

T先生はひいきが大好きでした。顔立ちのいい子、成績のいい子、歌のうまい子が大好きでした。

みなさんは信じないかもしれませんが、当時の私はとても可愛く、勉強もでき、歌も上手だったのです。当然、先生にひいきにされていました。

6月のある日の午後、社会科の時間に、先生は突然、「去年のいまごろ、政府は日米安保条約を改定しました。安保条約は、日本を戦争に巻き込むものです。先生たちは反対しましたが、政府は数の暴力で押し切りました。許せません。日本には自衛隊という憲法違反の集団があります。自衛隊は人を殺すのが仕事です。大野君のお父さんは自衛隊です。みんな、大野君のお父さんのようにならないようにしましょう」と言ったのです。私の父は当時、陸上自衛官でした。

私は脳天をハンマーでたたかれたような衝撃を受けました。先生からはひいきにされていたので、なおさらショックでした。

その日はそれで終わりました。翌日学校に行くと上履きがない。何とか探し出して教室に行き、トイレに行って戻ってくると、ランドセルがひっくり返されていました。筆箱もノートも教科書も散乱です。

給食は6人で机を寄せ合い、テーブルクロスを掛けていただくのですが、私だけは仲間外れ、自分の分は自分でよそい、教室の隅でひとりで食べました。

なぜこういう状況になったのかは､明らかです。｢人殺しである自衛官のこども｣ですから､だれも相手にしてくれないわけですね。

どの時代にも苛めっ子はいます。そういう者からみれば格好の標的が誕生したわけだよね。下校時間になって昇降口に行くと、今度は下履きがありません。探してもムダでした。私ははだしで帰りました。すると数人の同級生が「人殺し」と叫んで、私に石を投げてきました。私ははだしのまま走って帰りました。

翌日も同じでした。3日、4日と続いて、私は学校に行くのがいやになりました。

父は毎朝7時前に家を出ます。私は朝食後、「学校には行かない」と言って、押し入れに籠りました。母はびっくり。なだめたりすかしたり、ですが、私は「行かない」の一点張り。母は帰宅した父に、私の不登校を告げました。父は「なぜ学校に行かんのか」と怒鳴りましたが、理由は一切言いません。苛められている者は、絶対そのことを言いません。自分がみじめになるからね。

母は学校に行き､担任に相談しました。ところが､担任は「どうしたんでしょうね」と言ったそうです。とぼけたのではありません。自分の発言が児童にどういう影響を与えたのかについての自覚がゼロだったのです。

2､3日してTは数人の同級生を連れて我が家に来ました。｢大野君どうしたの？　学校に行こう｣と言うわけです。同級生はすべてを知っていて､｢大野､学校に来いよ｣と言いました。

「この野郎どもめ」と私は心で思いましたが、しばらくして私は学校に行くようになりました。目にみえる苛めはなくなりました。しかし、陰湿な冷たい空気は残りました。私は早く5年生になってクラス替えが行われることを願いました。

私は教師、同級生、総じて人間というものへ強い不信感を持つようになりました。学校嫌いになり成績も落ちました。そして5年生になって間もなく、顔面神経麻痺という顔の右半分が動かなくなる病気を発症したのです。痛くはないのだけれど、右目が閉じにくくなり、涙も出ず、笑うと顔が歪むのです。治療に半年、ほぼ毎朝、三鷹病院に通い、マッサージと電気治療を受けました。でも完全に治ることはありません。だから、私の顔はいまも右側が少し歪んだままです。学校での苛めと発症の因果関係は恐らく証明できないでしょう。でもこの病気の原因に強いストレスが挙げられていることは広く知られています。

これが私の日教組との出会いです。

日教組2（平成31年4月）

いい思い出のほとんどなかった三鷹市立第三小学校を卒業し、東京オリンピックが開かれた昭和39年、私は三鷹市立第四中学校に入学しました。同級生は約２５０人、うち三小から１６０人、隣の通学区の七小から90人が入学しました。

1年、2年のときも日教組の教師による、授業中の偏向教育がありましたが、私が標的になることはありませんでした。

ところが、3年の秋、数学のMという教師が、授業中に「安保反対」「自衛隊反対」「アメリカの原潜（原子力潜水艦）の横須賀寄港反対」と叫び始めました。われわれ生徒に話して聞かすという話し方ではなく、声高にまくしたてるアジ演説です。授業は最後の10分ぐらいだけです。来る日も来る日もアジ演説が続きました。

私はたまりかねて、彼の演説中に立ち上がり、「先生、授業やって下さい」と言いました。彼は一瞬、ぎょっとした顔になりましたが、私をにらむと「大野、お前は先生の言うことがきけないのか。お前は反動だ」と怒鳴りました。私はひるまず、「僕たちは来年受験なんです」と言い返しましたが、彼は「お前は反動だ」を繰り返しました。

こんな教師を税金で雇って公立の中学で先生をさせていたんです。異常な時代でした。

私は意を決して、昼休みに校長室に行きました。校長はEといって、朝礼で、始まったばかりの中国の文化大革命に理解ある発言をした男です。とはいっても、校長以外に話す相手はいません。ノックをして校長室に入りました。

「どうした大野君」

「お話があります」

「ああそう、まあ掛けなさい」

私はM教諭の授業中の発言を話し、「彼に授業をやるように命じてほしい」と言いました。するとE校長は「君はそんなことは考えなくていい。それよりいい高校に入るために勉強しなさい」と言うのです。私は「だから言ってるんじゃないですか」と言いましたが、こんな校長に話してもムダだと悟り、部屋を後にしました。

しかし、E校長もM教諭に何か言ったのでしょう、授業中のアジ演説はなくなりはしませんでしたが、減りました。

昭和42年3月、われわれは卒業し、M教諭は組合（日教組）専従となり、学校を去りました。彼のような人物が学校から姿を消したことは、当然とはいえ、後輩のためにもとてもいいことだと感じました。

それから31年後の平成10年10月、三鷹四中昭和42年卒業生の初の同期会が東京・新宿で開かれました。約60人が出席、当時の担任の教師も6人中、5人が参加しました。その中にM元教諭もいました。

元担任が順番に挨拶に立ちます。M元教諭の番になりました。彼は「君たちが卒業したあと、私は組合専従になりました。いまは日本共産党の書記局にいます」と近況報告をした後、日本共産党がいかに素晴らしい政党であるか、自民党政府がいかに大資本のいいなりで、反人民のひどい政府であるかを声高に叫び続けました。

多くの参会者が白けました。

しかし、私は彼の本質が分かるいい機会だと思ったので、懇談に移った時間を見計らって、彼のところに行き、「先生ご無沙汰しています。大野です」と挨拶しました。彼は私を見つめてから「ああ大野か、元気か、いま何やっているんだ」とにこやかに聞いてきました。私は「おっ、少しはまともな人間になったかな」と一瞬思いました。

「新聞記者をしています」

「ほう、何新聞だ」

「産経新聞です」

その途端、彼の顔がこわばりました。「産経は共産党に敵対し、自民党べったりの反動新聞だ」となつかしい「反動」の言葉を入れながら、産経を非難し始めたのです。

私はある程度までしゃべらせてから、「先生、ちょっといいですか」と聞きました。

「なんだ」

「先生はこの集まりに元教師として来たのですか、それとも共産党の書記局員として来たのですか」

「……」

「教師として来たのなら、かつての生徒がまじめに働いていることをまず喜び、思想信条とは別に、仕事を頑張るように励ますのが普通じゃないですか。同期会に来てまで、そんなことを言っていると、誰も相手にしなくなりますよ」と言いましたが、彼は「フン」と横を向いてしまいました。

その後の同期会にも彼は顔を出しましたが、挨拶はいつも共産党の礼賛でした。

彼のような人は特別だ、という意見もあるかもしれませんが、学校も生徒も目に入らず。ただただ共産党を盲目的に信じるだけの人生であったということでしょう。だからこそ、共産党員を続けられたのでしょう。

10年ほど前、彼が亡くなったと仄聞（そくぶん）しましたが、彼の話題が、その後の同期会で出ることは全くありませんでした。

日教組3（令和元年5月）

昭和42年4月、私は東京都立秋川高校に第3期生として入学しました。

秋川高校は戦後初の公立全寮制高校。1学年２４０人が30の部屋に8人ずつ割り当てられ、夏季は朝6時、喇叭（ラッパ）で起床、6時15分、校庭で点呼、校旗掲揚、体操。7時食事喇叭で朝食、その後、授業があり、昼も食堂で3学年７２０人が一斉に昼食を摂ったのです。午後の授業が終われば、全員に義務付けられている運動部の活動があり、終了後は部屋に戻って、入浴、食事喇叭で夕食、自習時間、夜の点呼、11時消灯喇叭で就寝という毎日でありました。

軍事訓練を行わない軍学校のような存在で、私は幼年学校のつもりで入学したのです。

開校の理由を都は「転勤族の子弟を寮に受け入れることで、親の転勤に伴って転校しないで済む」とし、自衛官、高級官僚、報道機関、商社など転勤族の子弟が多く入学していました。生徒の父親の多くは旧制高校や陸士、海兵の出身者で、ノスタルジアもあってか、子供を旧制高校や幼年校のつもりで入学させたのでしょう。

開校に際しては、都議会の社会党と共産党が「幼年学校の復活につながる」などとして反対したといういわくつきの学校でもありました。

だから、私は秋川高校に日教組の教師がいるとは思ってもいなかったんだね。入学当初は、教師から「反動」などと呼ばれることはなくなると喜んでいたのであります。

入学して間のない4月下旬、われわれは志望大学を書かせられた。私は第1志望に某国立大学名を書き、第2志望に「防衛大学校」と書いた。

担任のO教諭に呼ばれたのは2週間くらい後の放課後です。誰もいない教室で2人きりになると、O担任は「ぼくは防衛大学校を志望する生徒を教えたくないんだ」と切り出しました。O担任は30歳前後、東京教育大出身で、数学の教師で独身でした。

私は「秋川高校にも日教組のゴリゴリがいるんだ」と意外な感じを持ちながらも、「これからは気を付けて発言しないといけないな」と思ったものだね。

「それでは、先生は私のクラスの授業をしないんですか、それとも先生が授業をするときは、私だけ外に出てましょうか」と嫌味を言った。

Oは嫌味の意味をつかみかねたらしく、「いやそうじゃないんだ」と首を振る。

「では、どうしてですか」と私は穏やかに尋ねた。この時点で、私はこの教師を打ち負かせることを確信しましたね。

「大野君、防大は自衛隊の幹部を養成する学校だよ。自衛隊はいうまでもなく憲法違反なんだ。僕は君を憲法違反の人間にしたくないんだ」。

私は「来た、来た」と思った。こんなレベルの理論ともつかない屁理屈で、人の進路を話すという杜撰さに驚くとともに、これで数学の教師が務まるのかと思ったものですな。

「自衛隊が違憲であるという意見があることは知っています。しかし、合憲だという人もいます。私は先生と自衛隊が違憲かどうかについて議論する気はありません。そこに学校があり、毎年受験する者がいて、合格して入校する者がいる以上、私がその一員になれないというのはおかしいと思います」と言ったのです。

「いや、だから自衛隊が違憲なんだから、受験すること自体がおかしいんだよ」とOは話を蒸し返しました。

しばらく押し問答をした後、私は「分かりました。ではこうしましょう。私としては防大を志望しているのに、担任の先生から強く反対されているわけで、自分の進路をどう考えればいいか、判断がつきません。そこで、私は都の教育庁にどうすればいいかの判断を仰ぐ手紙を書きます。その返事が来た上で、改めて話し合いましょう」と提案したんだね。すると、

Oは私の顔をまじまじと見ながら、黙り込んでしまった、黙り込んだというより、何と返事していいか分からなくなったという方が正確だろうね。

1分か2分かの沈黙の後、彼は「大野君、すまなかった、この話はなかったことにしてくれ」とのたもうたのであります。私は彼がそう言うだろうと思っていた。しかし、驚いたような顔をして、「先生、それはないでしょう。先生も自分の思想があり、信念に基づいて私に話をしたんでしょう。それをなかったことにしろ、とはどういうことですか」と語気を強めました。Oはうなだれて「申し訳ない」と小さな声で言うばかり。

勝負はついた。私の完勝ですな。私は「帰っていいですか」と聞き、答えを待たずに席を起ち、教室を後にしたのです。

「自分は担任である。間違った考えを持っている生徒を正さなくてはならない。生徒は教師の言うことを聞くものだ」という思い上がった愚かな教師は、その後3年間、私に何も言えなくなりました。私に会えばいつもにこやかでさえあった。いつ手紙を書かれるか分からない、という恐怖があったのだろうね。

卒業後、何回も開かれた同期会に、教師も招待しているが、O教諭が出席したことは一度もありません。

日教組4（令和元年6月）

昭和46年4月、私は学習院大学法学部に入学しました。入学直後、構内をふらついていると、高校時代の先輩につかまり、そのまま弁論部に入れられてしまったのです。その弁論部の顧問をしていたのが、法学部のI教授でありました。

大学の教員は日教組ではありませんが、I教授は日本共産党の機関紙「赤旗」や機関誌『前衛』に時々意見や論文を掲載していた共産党系の政治学者（?）でありました。

弁論部は比較的保守的な傾向の学生が多く集まっていたのですが、ある日、数人の学生がI教授の研究室を訪ね、話を伺うことになったのです。私は先輩にいわれて仕方なくついて行きました。

研究室では教授が一方的に話しました。話は文化大革命さなかの中国に及び、学生が質問しました。

「中国は、いまは混乱していますが、将来、日本の脅威になる心配はありませんか」。

教授は笑って「中国が日本の脅威になるなんてあり得ないよ。中国は陸軍国だよ、海軍なんて貧弱なものだ。日本を侵略するためには大海軍をつくらねばならない。あり得ないよ」。

私は聞いていて驚いてしまったね。確かに、現在（昭和46年）の中国の海軍は貧弱である。海を渡って日本を侵略する力はないだろう。しかし、これからどうなるかは分からない。いまの問題ではなく、将来を見越して考えるのが政治学である。中国が海洋進出する意図を持てば、当然、海軍の増強を図るであろう。その際、琉球列島は海洋進出の邪魔になるから、日本の防衛線を突破する海軍力を持とうとするだろう、そうなれば、日本にとって大きな脅威となる。

そんなことも考えずに、中国は脅威にならない、と断定するのは、単に共産主義の中国に幻想を抱いているか、おもねっているとしか思えない。

私は「中国は経済成長して、将来、日本に脅威になる海軍力を持つ可能性は決して小さくないと思います。そこに目を向けないで、脅威はないというのは、理解できません。よくそれで政治学の教授が務まりますね」と発言してしまったんだね。

教授は私に顔を向けて何かを言おうとしたが、隣にいた先輩が私の腕を引っ張って、私を部屋から連れ出してしまった。

部室に戻ってしばらくすると、みんなが帰ってきた。そうして、「大野の言う通りだ。I先生は中共の味方だから話にならない。行かなけりゃよかった」と言うのですよ。

それからしばらくして、私はI教授の政治学の講義に出ました。政治学は必須科目だから、出ざるを得ないのですな。すると、教授は多くの学生を前にこう言いだした。

「私たちの手は血塗られている。君たちのお父さんたちは、いまは平和な顔して、善人ぶっているかもしれないが、戦争中はアジアを侵略し、多くのアジアの人を殺したんだ。君たちはそのこどもだ。加害者なんだ」とのたもうたね。

よくまあ、こんなえげつないことを大学の教授ともあろうものが、講義の中で話すもんだと驚き呆れました。

すると、私の隣に座っていたK君が立ち上がって「自分を加害者だ、加害者だ、ということは一種の被害者意識だ」と叫んだんだね。私はその鋭い指摘に思わず「そうだ」と同調して叫んでしまった。K君はさらに「こんな授業聞いても意味がない。出よう」と大きな声で私を促して席を立ってしまったんだね。私も席を立ち、教室から退出しました。教室の外に出るや否や、K君は「あいつは民青（日共の青年組織）だ。ばかじゃないの」と唾棄した。全く同感でしたね。

K君とは同クラスで親しくしていたが、実は彼は全共闘のブント系学生で、民青は不倶戴天の敵だったのです。彼は授業が終わると、ヘルメットをかぶって立看造りに精を出していて、私は通りすがりにからかったりしていた。私とは思想はかなり違っていたが、よく勉強していて、議論もしました。思想は違ったが、認識については共通するところがあったということでしょう。少なくともI教授のような無教養な日共系とはレベルが違っていたね。

こんなレベルの教授が学習院大学で法学部長まで務めたのだから、学習院もお人よしだよね。

私の卒業後、弁論部はI教授にお引き取りを願い、保守派の論客であった香山健一教授を顧問にお迎えした。

学習院大学に限りませんが、Iのような、自分の頭で考えないで、ひたすら世の風潮に迎合する学者（?）はたくさんいました。いまもいます。

K君は「ぼくは民青と戦う」と宣言して、私とともに産経新聞を受験したが落ちてしまった。彼とは全斗煥時代、ふたりで韓国を旅したことがあり、板門店にも行きましたが、「金日成は人民の敵だ」と言っていたのが忘れられない。柔軟にものを考えられる男だったね。中年以降、長くパーキンソン病を患い、平成29年夏、独身のまま亡くなったのが残念です。

朝鮮・韓国1（令和元年7月）

産経新聞記者であった私は昭和54年6月、仙台から新潟に転勤となりました。入社5年目の27歳です。仙台総局で、あまりに無能で無責任な人格劣等のデスクを殴ったため、私は総局である仙台から格下の新潟支局に飛ばされたのであります。

デスクを殴った後、私は総局長にその旨を話し、彼を辞めさせるように訴えたのですが、総局長は「俺は聞かなかったことにする」と逃げてしまいました。仕方がないので、正月休みに、東京本社に出向き、総務局長に顛末を話して、デスクをクビにするように訴えたのですが、総務局長は「殴ったのは君だから、処分されるのは君だ」というわけで、私は新潟行きとなったのです。もっとも、デスクは数年後、会社を辞めさせられましたから、会社は分かっていたのです。

新潟では、私が転勤してきた状況を理解していたらしく、支局長もデスクも実に丁寧に接してくれました。しかし、飛ばされたことに変わりはなく、私はやる気をなくしていました。そこで、仕事はともかく、何か身に付く勉強をしようと思い立ち、韓国語を学ぶことにしたのです。

当時の新潟は北朝鮮の貨客船、万景峰号が毎月、北朝鮮の元山から入港していました。在日朝鮮人の帰国、あるいは里帰り、また日本の物資を北朝鮮に運ぶためです。このため、新潟県警外事課には、韓国語のできる警察官が複数在籍していて、万景峰号にからむ北朝鮮関係者や県内の朝鮮総連の動向に目を光らせていたんですな。彼らは選ばれて天理大朝鮮語学科に国内留学をした幹部警察官。私としては、韓国語を学ぶいい機会だと思ったわけです。

私は書店で韓国語辞典を購入し、外事課の警察官から日本語の「いろは」に当たるハングルの「カナタラマパサ」から教わり始めました。韓国民謡である「アリラン」や「トラジ」を覚えたのもこのころです。

そんなある日、支局に朝鮮総連新潟本部から手紙が舞い込んだ。

それは老朽化した万景峰号に代わって新たに新潟航路に就航した三池淵号が初めて新潟に寄港することになったため、これを記念して三池淵号で開かれるレセプションへの招待状でありました。

支局では招待に応じるか否かで議論をした結果、「まずは取材しよう」ということで、韓国語を学び始めたばかりの私が行くことになりました。

某日夕方、新潟港に停泊している三池淵号に乗船したんですね。岸壁には日本の海上保安庁と法務省の入国管理事務所の係官がいて、乗船する日本人に名前を書かせたうえ、割符を渡しました。下船する際に割符と照合して、下船漏れ、すなわち拉致される人が出ないようにするためです。新潟港といえども、外国船ですから、日本の主権は及ばない。いってみれば、北朝鮮領内に入るわけですな。

同号は８３００トンと大型で、通されたホールには数十の円テーブルが並び、シャンデリアが輝き、正面には金日成の巨大な肖像写真が飾られておりました。

やがてホールは満席となり、私も５人掛けの円テーブルに席を占めました。ホールの四隅には屈強な若者が立ち、正面横には、チマチョゴリに身を包んだ美しく若い女性が手に手に人参酒のビンを持って微笑みながら並んでいました。

金日成の大きな肖像写真の前で朝鮮総連新潟本部の役員、革新系であった新潟市長のあいさつがあり、船長の、これまた長い長い金日成を称える演説の後、乾杯です。

私は隣に座った人と話し始めましたが、彼は社会党の某市市議会議員で、長年、在日朝鮮人を北朝鮮に送る北送運動に携わってきたと言っていました。

円テーブルの中央に美しい雪山の絵が描かれたビンが置かれていて、私はその市議と「これも酒ですかね」「飲んでみましょうか」などと言いながら、栓を抜いて飲んでみたのです。するとそれは水だった。ミネラルウォーターです。われわれは濃い焼酎を期待して恐る恐る飲んだので、「なーんだ、水じゃないか」と顔を見合わせました。その瞬間、屈強な若者が飛んできて、流暢な日本語で「いま、『なーんだ水じゃないか』と言いましたね。これは恐れ多くも金日成主席様からいただいた金剛山の水です。船では水がどれだけ貴重か、まして金日成主席様からいただいた水がどれだけ貴重が分かっているんですか」と語気鋭く詰め寄るのです。そして、「金日成主席様からいただいた水に謝りなさい」と言います。われわれは再び顔を見合わせ、ここが北朝鮮領内であることを思い出して、「申し訳ありませんでした」と水に詫びました。

焼酎ではないかと期待したものの、水だったのだから、飲ん兵衛としては期待外れで、そこは社会党の議員氏も同様で、お互いに「なーんだ」となったのですが、それを聞き逃さず、飛んできて謝罪を要求するとは、何ともすごい国でありますな。

私も人生でいろいろ謝罪をしてきましたが、水に謝罪したのは後にも先にもこれが最初で最後でありました。

朝鮮・韓国2（令和元年8月）

新潟港に停泊中の北朝鮮の貨客船、三池淵号での乾杯が終わり、しばらくして、私は尿意を催しました。そこで、ドア付近に立っていた、先程、私を厳しく叱責した屈強な若者に「トイレに行きたい」と伝えたのです。

ホールにはこうした屈強な若者が数人配置されていて、われわれ訪問客を監視しているのですね。私が声をかけた若者は、おそらく、私が産経新聞の記者であることを知らされていて、とくに厳しく監視するように言われていたんだろうね。

彼は「ご案内します」と言ってドアを開けた。彼の発音はきれいな日本語だったから、本国から来たのではなく、この日のために朝鮮総連から派遣された在日であったのかもしれないね。

甲板に出ると、潮の香りがして、対岸の新潟市内の夜景が目に飛び込んできました。大きな金日成の肖像画の下で、監視されながら酒を飲む三池淵号とは全く違う自由な世界が、そこにはあったのです。

トイレまで案内すると、彼は私が用を足すまで、すぐ後ろで立っていました。勝手に行動されては困るのでしょう、私から目をそらすことはありませんでした。用を足すと私は「船内を見学したい」と申し出ました。

「許可されていません」と予想通り無機質な答え。席に戻り、しばらくすると、瓶を持って各テーブルを回り、にこやかに訪問客のグラスに人参酒を注いでいたチマチョゴリ姿の美しく若い女性が、われわれのテーブルにもやってきて、酒を注ぎ始めました。私はカバンからカメラを取り出して、彼女の姿を写真に収めました。彼女は私のカメラにも微笑みを返しました。女性というものはカメラを向けられると、無意識のうちに微笑むようにできているらしいね。だが、その途端、かの屈強な若者が小走りにやってきて、私を難詰したのです。

「あなたはいま、写真を撮りましたね。ホール内で勝手に写真撮影をすることは許可されていません」。

先程、金日成の水で怒られ、トイレに立った時も監視され、にべもない対応をされ、招待しておきながら、この扱いはなんだ、と少し腹を立てていた私は、食い下がりました。

「許可されていません、と言いますが、どこに写真を撮ってはいけないと書いてあるんですか」

すると、彼は私をにらみつけ、「許可されていること以外はすべて禁止されているのです」とのたまう。

「そんなバカな。じゃあ、何が許可されているか、許可されていないか、分からないじゃないですか。だったら許可されていることをすべて書き出してみなさい」。

彼はますます怖い顔になり、「規則を守ってもらえなければ、それなりの対応をします」。

船の中は北朝鮮国内と同じ扱いです。船室に閉じ込められて、そのまま北朝鮮に連れていかれてはかなわない。仕方なく「写真は撮りません」と折れた。だが、彼はますます居丈高になって、「いま撮ったフィルムを出しなさい」というのである。

新聞記者が写真を撮ると、「写真を撮るな、いま撮ったフィルムを寄こせ」と言われることは、ままあることです。とくに暴力団関係や左翼関係では、「写真を撮るな」「フィルムを出せ」は日常茶飯事です。ですから、われわれも心得ていて、未使用のフィルムを懐に忍ばせておき、そう言われると、フィルムをカメラから取り出したように見せかけて、未使用のフィルムを相手の目の前に出して、フィルム本体を引っ張り出して感光させてしまうのです。そうすると、相手は感光させたのだから、現像は不可能と思って、それ以上の追及をしないんですね。今回もその方法をとって、未使用のフィルムを1本、無駄にしました。彼はそれで納得して、引き上げて行きました。

その後、私はかねてから見知っていた日本共産党の元新潟県委員長で、当初から北送運動の立役者であったI氏の席に移り、彼の秘書になりすまして、彼らの雑談の輪に入りました。I氏は心臓が悪かったので、私に代わりに酒のやり取りを頼んだのです。

北送運動とは、昭和34年に始まった、在日朝鮮人とその妻らを北朝鮮に送り出す運動のことです。「北朝鮮は地上の楽園」という宣伝に騙されて約9万人の人々が北に渡り、筆舌に尽くしがたい苦労をし、多くの人が死に追いやられたことは、いまでは常識ですが、私が三池淵号に乗船した40年前は、そこまでの共通認識がもてていなかったんですね。したがって、I氏も英雄扱いで、県内の左翼の人々はもちろん、在日や北朝鮮の人までが挨拶に来ました。

私は、心臓の悪い彼に代わって、杯を受け、名刺を受けました。やがて、レセプションは終了し、私は割符を渡して無事に下船することができました。驚いたことに、その数日後、新潟の韓国総領事館から、「話をしたい」との電話が入りました。私が三池淵号のレセプションに出席したことを、ちゃんと把握していたんですね。

横田めぐみさんが新潟の海岸から拉致されて、わずか3年後のことです。北送は4年後に終了しました。

朝鮮・韓国3（令和元年9月）

徴用工の損害賠償請求問題から始まって、日韓関係は最悪の状況を迎えていますが、この問題はいまがピークということではなく、今後、ますます悪化するでしょうね。私個人としては、韓国のような国とは国交断絶もやむなしと思っています。

それは私が、韓国を国際的な約束を守れない国というだけでなく、国家として未熟な未開国であると感じているからです。そんな国と国交を結んでいても、何のメリットもないよね。ストレスがたまるだけです。

私はかつて10年間にわたって韓国語を勉強しました。韓国人の友人もたくさんいます。韓国にも15回行きました。『日本語と韓国語』（文春新書）という本も出しました。この本は何と12刷、5万部近くも売れたんです。ま、韓流ブームのお陰もあったけどね。というわけで、私は知韓派（親韓派ではない）を自負しているのですが、この国は盧武鉉政権ごろから狂い始めたね。

韓国の初代大統領、李承晩は大の反日であったが、大の反共でもあった。朴正熙も反共、以後、全斗煥、盧泰愚、金泳三、みな反共であった。金大中は反共とはいい難かったけど、親日でありました。その弟子の盧武鉉は親共、反日で、日本にとっては最悪でしたね。そのあとの保守派の李明博、朴槿恵は反共。だけど、李明博が竹島に上陸し、朴槿恵が反日に狂って、日韓関係ががたがたになり、北朝鮮べったりの文在寅でとどめを刺したって格好かな。文は単なる親共ではなく、北朝鮮の傀儡と化してしまったね。

その文が、大法院（最高裁判所）の徴用工判決について、「わが国は三権分立なので行政、司法、立法はそれぞれ独立しており、司法の判断に行政が口をはさむことはできない」として、国際法違反の判決を容認する発言をしてしまった。

文は弁護士だそうだが、韓国の大学の法学部では、国家間の条約や国際法は、国内法に優先するということを教えないらしい。もし国内法が優先したら、国際法や条約は国内法によって否定されかねないから、どの国も条約を結ばないし、国際機関にも入れてもらえない。そのレベルだったら、日本では司法試験はもちろん、法学部を卒業することすらできない。

条約よりも国内法を優先させる人間が大統領となっているということは、ヒトラーのドイツ、スターリンのソ連、毛沢東の中共、金日成親子孫の北朝鮮と同じ、無法国家ということですな。

そもそも韓国の裁判所は、国民の感情に沿って判決を出す傾向があり、とても法治主義の近代国家の司法府とはいえない。

さらに驚いたのは、ことし1月、ソウル中央地検が前大法院長を職権乱用罪で逮捕したことですよ。日本でいえば、東京地検が最高裁の前長官を逮捕したということです。容疑は職権濫用。徴用工の確定判決を故意に先送りしたというもの。いやはやほんとに驚きました。これって、司法府が独立していないことを内外に明らかにしたことになるんですよ。自分の国の最高裁長官経験者を、破廉恥犯でもないのに逮捕するということは、近代民主国家ではあり得ないことです。大法院の権威は地に落ちた。

具体的には、前院長の梁承泰は、大法院長だったときに、徴用工に関する損害賠償訴訟の判決を言い渡さなければならなかったのに、保守政権である朴槿恵大統領の意向で、日韓関係に配慮して、言い渡しを先送りしたということらしい。しかし、判決をいつにするか、どんな判決を出すかは、司法府の専管事項で、行政府も立法府も口を出すことはできない。それが三権分立ですよ。文君、知っているかね。

もし、この容疑が事実なら、韓国の司法府は大統領の意向を尊重、あるいは重視して、職務を怠ったことになるから、それだけで、司法府は独立していないことになるし、もし、この容疑が事実でないなら、現政権は、事実無根の罪で前大法院長を逮捕したという、とんでもない司法府弾劾行為をしたことになります。

いずれにしても、韓国の司法府は行政府から独立していないことになるわけで、文が言うように、「わが国は三権分立なので、司法の判断に行政が口をはさむことはできない」というのが、まったくのでたらめであることが明らかです。

前政権の否定が、韓国という国の宿命というか、掟のようなものだから、こうなることはある程度、分かっていたよね。だったら、日本としては、韓国政府とどんな取り決めをしても、政権が代われば反故にされかねないんだから、交渉すること自体が無意味ということになる。それなら、そんな国と国交をもっていること自体に意味がない。さっさと国交断絶するに如くはないね。

次に保守政権が誕生して、逮捕されそうになった文在寅が助けを求めてきても、日本は知らんぷりをしたらいい。それとも文のことだから、38度線を越えて北に亡命するかな。

偕行合唱団（令和元年10月）

偕行社という組織をご存知ですか。陸軍将校の会として明治10年に発足しました。会の目的は将校同士の親睦、学術研究、戦死者遺族や戦傷者の福祉などで、陸軍士官学校、陸軍経理学校、満洲国軍官学校を卒業した者は会員になることが義務付けられていました。

戦後は一時、解散しましたが、昭和27年に復活、昭和40年代からは、任官していない終戦時の陸士、陸経、軍官の在校生、さらには全国に6つあった幼年学校の在校生にも入会資格が与えられました。それでも物故による会員減は避けられず、陸上自衛隊幹部候補生学校の卒業者もOKとなり、現在は約6000人の会員のうち、元陸自幹部が過半数をしめています。現在の会長、理事長も防大出の元陸上幕僚長です。さらに正会員の家族である家族会員、賛助会員もいます。

私の曽祖父は明治10年時点で、陸軍少尉だったので、自動的に会員になり、祖父も明治44年、陸士卒業と同時に会員となり、父も昭和16年に陸士を卒業して会員となりました。私は平成19年に父が他界したので、家族会員となったのです。

この偕行社に合唱団があります。平成23年の終戦記念日に靖国神社の拝殿で、軍歌と童謡を歌って、英霊をお慰めしたのが始まりで、以後、終戦記念日や1月の偕行社賀詞交歓会（旧陸軍始め）、9月の自衛隊殉職者慰霊祭などで、軍歌や童謡を奉納してきました。

Oというかつて銀座の軍歌酒場にいた50代の女性が指揮をし、合唱、トランペット、ハーモニカからなる集団です。元陸士生徒、防大、一般大卒の元陸自幹部、それに家族会員、賛助会員ら20人強で、中には元陸将もいます。私もメンバーでした。

この偕行合唱団が、こともあろうに、靖国神社で米軍兵士を鼓舞する讃美歌を唄おうとした、と聞いたら驚かれますよね。実は事実なのです。私はこのことに抗議して、合唱団を退会したのです。

昨年12月末、私は翌平成31年1月8日の偕行社賀詞交歓会の合唱練習のため、偕行社に行きました。すると、「いざ起て、戦人（いくさびと）よ」という歌の練習が始まったのです。渡された歌詞を見て私は仰天としました。歌詞には「御旗（みはた）」「正義の御神（みかみ）」ということばがあり、讃美歌です。それも米軍兵士を鼓舞する内容の讃美歌です。歌詞に登場する「御旗」とはキリスト教の十字の旗であり、「正義の御神」とはキリスト教の神であり、「戦人」は米軍兵士のことです。

これを靖国神社の境内にある靖国会館で唄おうというので、私は指揮をするOに聞きました。なぜ、この歌を唄うのかと。

彼女の説明は、偕行社の顧問からの要請ということでした。顧問とは前理事長のTで、元陸上幕僚長です。陸幕長だった者が、こともあろうに靖国神社で、米軍兵士を鼓舞する讃美歌を唄うことを偕行合唱団に要請したわけです。それを断りもせずに受け入れて、練習をしていたのです。

私は反対を唱え、私への賛同者も出て、唄うことは取りやめになりましたが、その後、5月に開かれた、この件についての会合で、Oは「防大でも唄っている」などと言って、全く反省の姿勢を示さなかったので、私は「反省も謝罪もなく、英霊を侮辱するような者の指揮で歌は唄えない」と宣言して退会しました。

靖国神社には２４６万柱の英霊が眠っていますが、このうち２１３万柱は大東亜戦争で散華されたのです。そのほとんどは対米戦争における英霊です。その英霊が眠っている靖国神社の境内で米軍兵士を鼓舞する讃美歌を唄うということはどういうことか、考えなくても分かります。まさに英霊を侮辱する国賊、非国民行為です。

現在の日本は日米安保条約によって守られ、米軍は友軍ですが、アメリカはかつて原爆、焼夷弾を投下して非戦闘員１００万人を虐殺した第二次世界大戦における最大の戦争犯罪国家です。その米軍兵士を鼓舞するなどということはあり得ない。狂気の沙汰です。それに異論をはさむことなく、歌の練習をした合唱団も情けない限りですが、そのことを恥とも思わない者が指揮をするという、この異常な事態は許されません。

靖国神社で歌を唄うことは英霊への感謝の気持ちを込めたものでなくてはなりません。英霊を冒瀆するような歌を唄わせようとしたO、その練習をした合唱団のメンバーは恥を知らなくてはなりません。

Oは偕行社の談話室で、軍歌を唄う人のためにオルガンを弾いて、報酬を受け取っているのですが、英霊への崇敬心はないようです。そもそも軍歌はオルガンで唄うものではありません。軍歌を知らない者が、報酬を受け取るためにオルガンを弾いていると言われても仕方がありません。偕行社にいる資格はありません。

偕行社のスローガンは「日本に誇りを、英霊に敬意を」ですが、今回のことは偕行社の歴史に汚点を残しました。偕行合唱団は英霊に罪を謝して解散し、心を入れ替えて出直すべきでしょう。

曺国（令和元年11月）

「文在寅」と「問題人」の韓国語の発音が同じ「ムンジェイン」であることは、前にお話ししましたが、いま問題になっている玉ねぎ男、「曺国」の韓国音は「祖国」と同じ「チョグク」です。

そのチョグク君、１９６５年4月、釜山生まれの54歳。ソウル大を出て私立大学の助教授などをへてソウル大の助教授、教授となり、文政権発足後は大統領の民情首席秘書官となりました。民情首席秘書官というのは、韓国人の生活、教育、文化、芸術などあらゆる面の政策を助言する、とても強力な権限を持つポジションです。

根っからの左翼で、韓国では「江南左派（カンナムチャパ）」と呼ばれています。江南左派とは、ソウルの漢江の南に広がる江南区の高級マンションに住む左派系の人々のことです。韓国の左派はセレブないいところに住んでいるんだね。

この人、なんで玉ねぎ男と呼ばれているかというと、剥いても剥いても疑惑が出るというか、剥けば剥くほど疑惑が出てくるからです。ただし涙は出ません。

どんな疑惑かというと、最初に問題になったのは、家族が経営する学校法人の相続をめぐる不自然な金の流れです。しかし、それは大した問題ではなかった。玉ねぎ男自身が公職にありながら、私募のファンドに投資していたという疑惑も浮上しました。だが、それも、大したことではなかった。

娘のミンが高校生時代、玉ねぎ男の妻の友人がいた私立大学の研究室にインターンとして通い、なんと論文の共同執筆者に筆頭者として名を連ね、その〝功績〟を内申書に書いてもらい、名門の高麗大学に無試験で入学したというのです。高校生が大学の研究者の論文の共同執筆者になるとすれば、天才ということになりますが。その後、なぜか、釜山医学専門大学院に入り、成績不振にもかかわらず、奨学金を得ました。天才なのに成績不振？　これも疑惑です。

息子のウォンにも疑惑が出ました。やはり、大学での奨学金の不正受給です。さらに徴兵延期疑惑も出ました。娘の疑惑では、大学院進学に関する東洋大学総長の推薦状が偽造された疑いがあり、玉ねぎ男の妻が偽造したとして、有印私文書偽造容疑で起訴されています。ファンドの件では運営者の親族の男が逮捕されています。検察庁は、玉ねぎ男の自宅を家宅捜索、さらには妻、長男、長女を長時間尋問しています。

これらの疑惑について、玉ねぎ男本人が何も知らなかったなどということがあり得るでしょうか。妻も息子の娘も、玉ねぎ男の権勢を背景に不正をしていたのではないか、だれでもそう思います。いやいや、玉ねぎ男が主導して行っていたのではないか、そう考えるのが自然でしょう。

これで終わりではありません。本人も疑惑だらけなのです。

玉ねぎ男がソウル大大学院時代の修士論文の33％が、日本人学者が書いた論文の剽窃だというのです。

反日の旗を振る男の論文の3分1が日本人論文からの盗作ということです。韓国マスコミも「驚きを禁じ得ない」（朝鮮日報）と報道しています。

まだあります。玉ねぎ男は16歳でソウル大に飛び級入学した天才とされていましたが、実は年齢を2歳若く偽っていたというのです。韓国の弁護士が、玉ねぎ男の軍隊時代の名簿を探し出してきて告発しています。飛び級もウソというわけです。まさに玉ねぎ。出るわ、出るわ。

この人、生まれながらの詐欺師ではないですか。こんな男を文大統領は9月に法務部長官（法相）に任命したのです。

これらの疑惑は任命してから発覚したのではありません。任命前から明らかになっていて、世論調査では任命に反対する国民が過半数だったのです。にもかかわらず、法相に任命した理由は何か。

それは検察庁に対する指揮権をもっている法相に任命することで、検察庁に圧力をかけ、最終的には指揮権を発動して、捜査をやめさせ、疑惑をうやむやにしてしまおうと考えているからです。そして検察庁を大統領の指揮下におくことです。

どうです。すごいですね。これが近代民主主義国家なんでしょうか。単なる野蛮独裁非民主国家ではないですか。

韓国という、身内のためなら何でもありの、悪しき儒教社会はいまに始まったことではなく、文君も曺君も、元大統領の朴槿恵の友人の娘の不正入学問題などで、声を嗄(か)らして糾弾していましたが、何のことはない、その前から、自分も同じことを、いや、それ以上のことをやっていたのです。

私の見立てでは、文君も曺君も、そう遠くない将来、逮捕されるでしょうが、その次の大統領も同じ道を歩むでしょう。そしてその連鎖は韓国という国がある限り続くでしょう。本当に救いがたい国です。韓国人のためにも、日本の統治がもう少し長く続いていれば、と悔やまれてなりません。

林鄭月娥（令和元年12月）

四書五経の礼記(らいき)に「苛政(かせい)は虎よりも猛なり」という言葉があります。墓前で激しく泣く老女を見て、孔子さまが、なぜ泣いているのかと尋ねると、老女は父も夫も息子もトラに殺されたからだという。では、なぜこの地を去らないのか、と聞くと苛政（悪政）がないからだと答える。孔子さまはこれを聞いて弟子たちに、「少子（おまえたち）、これを記せ、苛政は虎よりも猛なり」とのたまわったといいます。ひどい政治というものは、虎よりも恐ろしい、悪政をしてはならない、という戒めです。

最近の香港の状況を見ていると、この「苛政は虎よりも猛なり」という言葉を思い出しますね。いま、香港政庁がしようとしていることはまさに苛政です。これまで我慢してきた香港市民はついに起ち上がったのです。

アヘン戦争の結果、香港はイギリスに割譲され、１９９７年、中国に返還されたのですが、その際、50年間、「一国二制度」とすることになりました。いうまでもなく、中華人民共和国と称している大陸共産国は、言論、結社、移動、職業の自由がなく、議会の代表者も政治の代表者も民主的な選挙で選ばれることはなく、非漢民族を差別、隔離、監視、弾圧している、現在の世界では北朝鮮に次ぐ、独裁ファシズム国家です。そのやり方はかのナチス・ドイツに似ていて、共産主義の本質というものを、われわれに親切、丁寧に、分かりやすく教えてくれています。

ですが、その体制下で暮らす人は大変だよね。共産党に反対したら逮捕されて投獄されるし、下手をすると家族まで巻き込まれる。人権派弁護士なんかもずい分逮捕されているけど、拷問されて転向するか、廃人になるか、無事、出てきても職を失い、何も語らない人になってしまう。なんという恐ろしい国だろう。

イギリスの植民地とはいえ、曲がりなりにも自由と民主主義、資本主義的豊かさを享受してきた香港人からしたら、大陸ファシズム国家は地獄に見える。その地獄と同じ政治体制なんて真っ平、と考えるのは当然ですよ。

ところがチャイナファシズム国家は返還後、どんどん香港を締め上げていった。まずは香港政庁だ。行政の責任者たちはチャイナファシズムの意向に沿った者のみを任命するようにし、立法会の議員も職能別なんかがあって、親中派が一定以上を占めるようにできている。直接普通選挙は夢のまた夢。こんなものは民主主義でも何でもないですね。

一国二制度とは、一定の自治と民主主義を認めるというものですが、完全に形骸化しています。そんな矢先の「逃亡犯条例改正案」だったわけです。香港での犯罪者をチャイナファシズムに引き渡すことができるというこの条例改正案は、香港自治の放棄であると同時に、市民をファシズムに売り渡す行為であることは異論がないよね。

例えば、香港で反チャイナのキャンペーンをしている民主派の活動家を、駐車違反とか、何とかの因縁をつけて別件逮捕してチャイナ本土に移送することが可能になるわけだ。移送された活動家はただではすまないだろう。生きて再び、香港には戻れないだろう。でなければ、チャイナファシズムの手先になるかしかないね。

譬(たと)えは悪いかもしれないが、ユダヤ人をナチス・ドイツに引き渡して、アウシュビッツに送らせるようなものですよ。

私は3年前に香港に行きました。3泊4日の旅でしたが、それなりに楽しかった。折しも反チャイナの論陣を張っていた香港の銅鑼湾(どらわん)書店のオーナーや店主が大陸に拉致されるという事件が起こっていて、私はその現場を見に行こうかと思ったけど、会社の同僚に止められたんだ。

「そんなところに出かけて、空港から帰るときに、呼び出されてそのまま拉致されるかもしれないよ」「大野さんはあちこちにチャイナ批判記事を書いているから、行く以上は気を付けなさいよ」と。

やられるとしたら空港での帰り際だと思っていたから、帰るときは少し緊張したし、何となくいやな空気も感じたけど、無事帰って来られました。

いまチャイナは日本人9人を拉致している。私は生きている間に、チャイナに行くことはできないだろう。

こんな条例改正案を出した香港行政長官の林鄭月娥というおばさんは、チャイナファシズムの言いなり。なにか弱みを握られているか、脅迫されているとしか考えられない。

ちなみに彼女の名前だけど、月娥は名前。鄭が名字、林は夫の名字です。女性が結婚して夫の名字を自分の名字の上に付けて2字名字にするのは香港や台湾では普通にあるけど、大陸ではやらないね。

このおばさん、これからどうなるんだろう。恐らく、チャイナファシズム政権から「無能」「優柔不断」の烙印を押されて解任されるんだろうが、その後、チャイナ本土に送られて、二度と香港の土が踏めなくなるんじゃないだろうか。とすれば、自分が制定しようとした改正案の実施第1号が自分という皮肉なことになってしまうね。

「いいな」言葉（令和2年1月）

「いいな」言葉って何のことか分かりますか。インタビューを受けて、「何々になったらいいなと思います」「喜んでもらえたらいいなと思います」などと答える、あの「いいな」のことです。

「いいな」だけではありません。「かな」というのもあります。インタビューを受けて、「そうしたらいいんじゃないかなと思います」「うまくいったんじゃないかな」などと答えます。

このごろはいい年をした、それなりの立場にある人も使うんですよ。

先般の台風や大雨で被害を受けた自治体の責任者が、「早く復旧したらいいなと思います」などと平気で使うのです。

この何が不都合かというと、インタビューに答える言葉はよそ向きの、いわばオフィシャルなパブリックな言葉でなくてはなりません。しかし、「いいな」「かな」は自分の中で考える内向きの、プライベートな言葉なのです。いわば「つぶやき」です。これをインタビューなどの外向きの言葉で使われてしまうと、オフィシャルな発言に個人的なつぶやきがまざって聞かされていることになって不快感が生じるのです。

私の記憶ではこれを公の席で初めに使ったのは竹下登です。彼が首相だたか、蔵相だったときに、国会で、「これはこういうことではないかなと思います」などと答弁したのです。私は聞いていて違和感を覚えました。国会で「つぶやき」のような言い方で答弁することは、相手に失礼であるだけでなく、責任感を感じさせない言い方であるからです。

明治以来、議会、国会では、「こういうことであります」「そういうわけでございます」「こうしなくてはならないと考えます」などときっぱり、しっかり答弁してきたはずであるのに、「何々ではないかなと思います」などという、「かな」の曖昧性が、聞く者に違和感、不快感をもたらしたのです。

竹下君の答弁を真似したのか、そのころから、少しずつ、「かな」言葉が出回り始め、さらに「いいな」言葉の氾濫につながっていったようですな。

似たことばに「うれしい」があります。「災害復旧が早く進むとうれしい」「オリンピックで活躍してくれたらうれしい」という、あの「うれしい」です。

はっきりいって、その人がうれしいかどうかなんて、私にはどうでもいいことだ。「オリンピックで活躍してもらいたい」と言えば済むことです。それを「オリンピックで活躍してくれたらうれしい」というのは、オリンピックで活躍するという国民的なことを、個人の感情の話に落としてしまっているのです。

なぜこんな言葉がはやるのでしょう。そこには日本人の物事を決めつけない考え方があるのです。それはいい面でも悪い面でも指摘できます。

いい面は、心が優しいことです。はっきり言ってしまうことで、自分の考えを相手に押し付けることのないように、オブラートに包むわけです。「何々すべきである」「何々することが望ましい」などと言わずに、「何々したらいいなと思います」「何々をしたらうれしい」ということで、反対意見があるかもしれない相手を傷つけず、あたかも自分個人の私的な感想に過ぎず、それほどインパクトはないと示唆しているのです。

悪い面では、明らかな責任回避です。「自分としては、単なる個人的な感想を述べただけで、断定したわけではない」と、逃げを打つことができるのです。ですから、公的な場面ではふさわしくない言い方なのです。

ですが、日本人はこれまでもこういう言い方を多く生み出してきました。

「何々して頂けたら幸いです」「お出で願えれば幸甚です」といった言い方です。「何々してください」とは言わず、「幸せ」「幸甚」と言ってしまう。レトリックといってしまえば、それまでですが、こうした謙譲に過ぎる言葉を日本語以外では知りません。海外では異常に卑屈な言葉に聞こえてしまうでしょう。いやらしい言い方と思われてしまうでしょう。アメリカ大統領に、「来日してくださったら幸甚です」「来日してくださったらいいなと思う」「来日してくださったらうれしい」などと日本の首相が言ったら国辱ものですよね。「来日してくださることを要望します」ぐらいがいいところです。

「思うので」というのもあります。野球選手あたりが言い始めたことばで、「今チームの調子がいいと思うので」などと使うので、最近は誰でも使います。これも「自分が思っているだけだから、あなたは気にしないで」という卑屈さが隠れています。

相手の心を傷つけないようにする物の言い方がここまで卑屈になると、これからの国際社会で、日本人は「異常な物言いをする民族」ととらえられかねない。もっと自分の意見を自分の意見としてはっきり言える言い方で会話していくべきではないかな。

ＮＨＫ１（令和２年２月）

「Ｎ国」と略される政党がありますな。正式名称は「ＮＨＫから国民を守る党」というのだそうで、立花某という元ＮＨＫ職員が党首。「ＮＨＫをぶっ潰す」などと過激なことを叫んでいるかと思うと、「ＮＨＫの受信料を払いたくない方をサポートします」なんて、ソフトな物言いもしております。

私は41年以上、新聞記者をやりました。最初は地方でサツ回りをしました。浦和、仙台、新潟の各県警記者クラブ、新潟の県政記者クラブ、そして、東京の経済部では経団連機械、兜（証券取引所）、霞（外務省）、貿易（商社）、郵政省、葵（NTT）、農水省、通産省の各記者クラブに在籍しました。そのすべての記者クラブにNHKの記者がおりました。したがって私は何十人というNHKの記者を知っているわけです。

浦和ではNHKの記者は2人。ひとりはベテランでほぼ毎日、記者クラブで麻雀。仙台でも2人で、先輩は毎日麻雀。1年生記者は、必死に働いていましたが、情報（ネタ）がとれない。新人だから仕方ないんですが、先輩は麻雀三昧だから、どうしようもない。

極左暴力集団が行った昭和53年3月の成田空港管制塔占拠事件の容疑者には仙台の電電公社の職員が複数いて、宮城県警は職場や自宅の家宅捜索（ガサ）を行うことになったのですが、NHKの1年生記者は、いつどこにガサをかけるかのネタがとれません。時間と場所が分からなければ、映像が撮れない。映像が撮れなければ、テレビは何とも間の抜けたことになる。

1年生記者は思い余って、深夜、私の家に夜回りに来ました。私は警察官の家には随分と夜回りに行きましたが、記者から夜回りされるとは思いませんでした。

私はほぼ完全な情報を得ていたので、彼に教えてやりました。そのお陰でNHKはガサ入れの映像を流すことができたのです。

新潟県警記者クラブのＮＨＫ記者も２人。１年生と３年生でした。３年生は東大出の傲慢な奴でした。１年生も東大出でしたが、彼は先輩にいじめられていて、私を頼りました。記者クラブでは大体、他社の先輩が他社の後輩を指導することが多いのです。現場に行くのは１社ひとりが普通なので、１年生は他社の先輩に教えてもらうことになります。私の場合は東京新聞の３年先輩が教えてくれました。

新潟のＮＨＫの１年生記者もよく頑張っていましたが、なかなかネタがとれない。すると、私のところに聞きに来るのです。

新潟市の出先機関の汚職事件の時など、ネタを教える代わりに、朝６時まで缶詰にしたことがあります。それも警察官の家で。そのため、ＮＨＫは朝６時のニュースには間に合いませんが、７時のニュースには間に合わせることができました。わが社は朝刊に掲載しているから問題ありません。

新潟県政のＮＨＫ記者はベテランがひとりでしたが、ほとんど取材せず、やはり麻雀ばかりしていました。

長くなりますから、経済部時代の話はひとつだけ。通産省記者クラブ時代の話です。キャップのＡ記者は朝から晩まで碁を打っていました。私は彼が仕事をしている姿を見たことがありません。記者会見にも記者懇談にも、夜回りでも見かけませんでした。よくあれで給料がもらえるもんだ、と他社の記者と話した覚えがあります。わたしたちの受信料はこういう記者たちにも払われているのです。

私はＮＨＫをぶっ潰そうとは思いません。ＮＨＫには述べたように働かない記者もたくさんいます。左翼もたくさんいますが、立派な記者もいるし、しっかりした思想を持った記者がいることも事実です。

でも、「受信設備を設置した者はＮＨＫと受信契約をしなければならない」という放送法第64条の規定は明らかな憲法違反です。

自由主義社会において、契約は本人の自由意思に基づいて結ばれます。意思に反する契約は原則として無効です。例外はあります。医者が患者を診療するのも契約行為ですが、医者は相手を見て診療を拒否することはできません。それは生命に関わるからです。

しかし、受信料は生命身体とは関係ありませんから、例外規定にはなりません。しかもＮＨＫはＷＯＷＯＷのようにジャミングをかけたり、視聴時間によって受信料を増減したりするような努力を全くしていません。

にもかかわらず、最高裁は平成29年12月、ＮＨＫの受信料契約を規定した放送法第64条を合憲とする、というとんでもない判決を出しました。もし、違憲とすると、これまで受信料を払ってきた人が返還請求をするなどして大混乱になることを考慮しての現状追認判決で、法的合理性を欠く、不当な判決といえるでしょう。

あのばかばかしい番組、左翼偏向の番組を流すために、われわれが受信料を払わされていると感じることは苦痛です。良心の自由を冒されている気がします。

職員がどのように働いているかを精査し、合理化を進め、受信した時間だけ、受信料を支払えばいいように、一刻も早く制度を改めるべきだね。

ＮＨＫ２（令和２年３月）

私はあまりテレビを見ません。かつて、といっても中学生のころですが、そのころはよくテレビを見ました。しかし、全寮制の高校に入り、テレビのない生活をしてからは、そう見なくなりました。見るのはニュース、歴史番組、まれにスポーツくらいかな。

テレビというのは、一方通行の媒体です。ですから視聴者は受け身です。そこが新聞や雑誌と違うところ。一方的に情報を与え、有無を言わせません。新聞や雑誌のようにいったん立ち止まったり、中止したり、別の書物で書いてあることを確認したり、ということができません。テレビの都合を押し付けてくるのです。

ということで、私はテレビをあまり見ません。ましてドラマやバラエティー番組などは視聴者をバカにするために流しているようなものです。よく恥ずかし気もなく、あんなものを制作して流せるね。毎日、あんなものを見ていると、本当にバカになるよ。

バラエティーは論外ですが、私が毎日見ているＮＨＫのニュースもひどいね。

朝のニュース。まず、ニュースがない。大事件、大事故なら、それをトップにするのは当然だけど、大事件も大事故もないとなると、天気がトップ。国会があれば、愚にもつかない国会もの。とくにひどいのは日曜昼のニュース。なんとNHKで放送したばかりの日曜討論の中身をトップニュースにしている。これって、お手盛りじゃないの。

朝のニュースには必ず、途中で数分間も使って、食べ物や製品を作っている現場に行ってレポートするというコーナーがあります。

たとえば、先般は鹿児島県で桜島ダイコンを作っている話を中継していました。そのアナウンサーの言葉のなんと汚いこと。

作業している主婦に向かって「何をしているんですか」。試食している人に向かって「何を食べているんですか」。

これがNHKのアナウンサーが中継で話していることばです。彼ら、彼女らは敬語というものを全く使わない、いや使えない。

「何をしていらっしゃるんですか」「何を召し上がっていらっしゃるんですか」と言えないのです。

毎度のことなので、ニュースを見ていて、このコーナーになると、私は音声を消します。

日本語は世界の言語の中でも極めて複雑な言語です。誰にとっても簡単な外国語というのはないと思いますが、現在、世界の共通語と言われる英語は、意思疎通だけを考えれば、比較的覚えやすい言語と言えるかもしれません。英語は「笑って入って笑って出る」とたとえられることもあります。

しかし、日本語とロシア語は「泣いて入って出られない」と言われます。後にくる単語によって、前にある単語の読みが変わりますし、漢字の読みは何通りもあって、しかも法則性も希薄なので、暗記するしかありません。日本人でも難しいのですから、外国人にとっては悪魔の言語と映るでしょう。

しかし、日本語ほど、きめ細かい、繊細でエレガントな言語はありません。そのエレガントさの一つに敬語があります。しかも日本語の敬語には尊敬語、謙譲語、丁寧語の区別があります。韓国語には尊敬語と丁寧語はありますが、謙譲語はほとんどありません。中国語は丁寧を表す漢字を付けるだけです。英語もほぼ同じ。そうでなければ特別な言い回しになります。日常では使いません。しかも単語としての動詞は変わらないのです。

日本語は違います。

「食べる」を尊敬語で「召し上がる」、謙譲語で「いただく」。

「行く、来る」を尊敬語で「行らっしゃる」、謙譲語で「参る」。

「言う」を尊敬語で「おっしゃる」、謙譲語で「申す」。動詞の単語そのものが別のものになるのです。

このほかにもたくさんありますが、これらを使い分けることで、われわれ日本人は美しい言葉を継承し、美しい文化の礎石として来たのです。それなのに「何を食べているんですか」と聞く神経はどうなっているんだろうね。

女性アナウンサーが、「何々だよ」と話した時には耳を覆いました。「何々ですよ」と言えばいいのです。「だめだよ」などと平気で使います。せめて「だ」を取って「だめよ」と言えないのでしょうか。

美しい顔をした女性アナウンサーが「だよ」言葉を使った瞬間、醜い顔に見えてしまいます。私は民放には期待していません。古い話ですが、40年以上むかし、私はフジテレビに在籍していました。民放のレベルはある程度知っているつもりです。民放は受信料を取らないから、こちらとしてもあまり文句を言えません。いやなら見なければいいんです。しかし、公共放送を自任し、国民に強制的に受信料を払わせている以上、NHKは正しく美しい日本語を使わなくてはいけません。いや、使う義務があるのです。

もし、それができないのなら公共放送でもないし、受信料を請求する資格はないよね。

国会議員（令和2年4月）

日本には衆議院と参議院があります。衆議院の定数は465、参議院は245。合わせて710です。

この710人の国会議員が国会で国政を論じているわけです。さてどんな国政を論じているかというと、最近、最も盛んなのは「桜を見る会」の参加者名簿問題と領収証問題です。しばらく前は、森友学園と加計学園問題でした。

一部の保守系の人々からは、桜も森友も加計もいい加減にして、憲法や安全保障、対中、対韓、北朝鮮問題などをもっと審議しろという意見があります。ですが、私は桜も森友も加計もしっかり議論したらいいと思います。これらの問題は安倍政権の驕りから出たものです。こうした傾向が続くと腐敗政権になります。

長期政権は腐敗しやすいので、そうさせないためにも、厳しく議論することは、民主主義のためには必要なことです。

もちろん、立民にしろ、国民にしろ、かつて3年間の無能無責任政治をした民主党のなれの果てですから、安倍政権を批判する資格はありませんが、といって政権の腐敗が進むのを座視するわけにもいかないよね。

だから桜や森友、加計を取り上げるなとは言わない。だけど、それだけじゃ困るんですよ。いま、日本の喫緊の課題は何ですか。新型コロナウイルス、経済再生、少子高齢化、北朝鮮問題、憲法改正、韓国問題、領土問題。そして国際的には米中問題、英国のEU離脱、いくらでもあります。

しかし、こうした問題が国会で議論されているのを聞いたことありますか。新型コロナウイルスが若干、話し合われたぐらいですよ。あとは検事長の定年延長だね。
桜も森友も加計も、定年延長もある意味、単純な問題です。勉強しなくても、知識がなくてもなんとでも追及できます。だけど、憲法も安全保障も外交も経済もしっかり勉強してからでないと議論の場にすら立てない。
はっきり言って、野党の諸君は勉強が嫌いなのか、頭が悪いのか、安倍政権とこうした政策について議論するレベルになっていないし、これじゃ、安倍君は楽で仕方がない。国会ではひたすら桜と森友と加計問題の言い訳を繰り返していればいいんだから。言ってみれば、野党の無能が安倍政権の驕りを生んだのです。

国会議員にかかる費用は全額税金で賄われています。そこを自覚しないとね。いったい、どれだけの税金が投入されているのでしょうか。

まず歳費。月額で、議長が217万円、副議長が158万円、議員が130万円。これだけで驚いちゃうね。月給130万円なんて、一流企業の経営者並みですよ。もちろん、これだけじゃありません。交通通信費が一律に100万円、笑っちゃうのが立法事務費の月65万円。

国会は立法府ですから、議員は立法のために勉強し、調査し、法律家や法制局、議会事務局の法制局などと協議をして法律を立案するのが本来の仕事です。ですが、議員立法なんて、この国ではまずありません。立法のほとんどは行政立法といって、行政府である内閣が官僚に命じて法律を作っているのです。だから立法府の議員は法律を作らずに、議会で、内閣から出された法律について質疑して賛否の起立をしているに過ぎません。これって立法府じゃなくて、法律賛否府ですよね。

にもかかわらず、立法事務費が710人の議員に、われわれの税金から毎月65万円ずつ支払われているのです。詐欺みたいなもんだね。

それ以外に議員会館を自分の事務所として使用し、議員宿舎を格安で提供してもらい、秘書3人分の給与、約2500万円をいただき、高級乗用車に運転手をつけてもらい、ＪＲのパスを支給されているのであります。

私の単純計算でも、ひとりの国会議員に、年間7000万円以上はかかっていますね。それが710人だから約5000億円です。それに政党助成金という、税金からのお手盛り憲法違反の拠出金が350億円。総計850億円以上が、ほとんど政策を論じない、無能世襲集団に支払われているのです。

こういう人たちは、本来の意味での税金泥棒ですね。ところが、悪いことにこうした制度を改めるためには、法律を改正しなくてはなりません。その法律の賛否を決めるのは国会議員である彼らなのです。与党も野党も自分たちの実入りが減る法律を通すはずがないから、国会改革は絶対に行われません。まれに定数が是正されるだけです。

かつて英国の鉄の女、サッチャー首相は言いました。「議会に議会改革はできない」と。

としたら、どうしたらいいんだろう。議会改革は絶対必要なのに、議員が首を縦に振るはずがないから、議会改革は永遠にできないということになる。こんなことは許されるんだろうか。

あり得るとしたら、革命かクーデターしかない。しかし、それは現実的ではないよね。というわけで、われわれは、あの税金泥棒たちのアホな茶番劇を毎日、見せられ続けているわけです。

地方議員（令和2年5月）

日本には47都道府県があり、1741の市区町村があります。でも、本当は1747なんです。何故かというと、国後、択捉、歯舞、色丹にある6自治体を数えていないからです。本来ならこの4島の6自治体も数えなきゃいかんのですが、残念ながらロシアに不法不当占領されていて、実体がありません。

さて、47都道府県には議会があり、議員がいます。全部で何人いると思いますか。定員は2609人です。地方自治法90条では定員が定められています。人口70万人未満は議員40人以下。70万人から100万人未満までは5万人ふえることに議員を1人増やせる。100万人以上は7万人増えるごとに1人増やせる。ただし上限は120人。東京都だけは例外で

130人まで。その東京都議会の現在の定員は127人。

都議会議員はいくらもらっているのでしょうか。

まず毎月の報酬は102万2000円。年額1226万4000円。それに月に政務調査費一律60万円、年額720万円。さらに定例会に出ると費用弁償費が1日につき1万円です。年間100日、議会が開かれれば100万円。ざっと総額、年間2000万円。127人で25億円以上。

政務調査費というのは、一時話題になりました。条例を作成したり、視察をしたり、人の話を聞いたり、調べ物をするためのものですが、かつては領収証もなく、なんと報告だけで済んだのです。

そして費用弁償費。簡単にいうと日当、交通費です。

しかし、考えてみると、議員報酬というのは議員として活動することに対する報酬ですから、政務調査費とか費用弁償費は不要ではないかね。月に102万2000円も報酬をもらっていたら、それで十分すぎると私は思うけどね。

では、彼らは条例を制定しているのか。とんでもない。国会議員と同じで、都庁が作成する条例に賛成、反対を言っているだけ。しかも、都道府県会議員も市区町村会議員も、地方自治法92条によって、地方公共団体の常勤の職員を兼ねることができないから、都道府県や市区町村の役職には就けません。ここが国会議員と違うところだね。

憲法67条と68条で、首相と過半数の閣僚は国会議員から選ぶことになっているから、国会議員は首相や閣僚になる可能性があるわけですが、地方議員はそれができないから、自治体の行政に責任をもたない、ただの野次馬でもなんとかやれるのです。

それでいて、都庁に行けば「先生」などと国会議員なみに呼ばれて、こんないい商売、辞められないよね。自分が辞めたら、息子に継がせたいと思うのは人情だね。北朝鮮と何が違うのか。かくして民主主義は崩壊する。

東京はまだ財政に余裕があると思っている人もいるでしょう。少子高齢化、産業の空洞化、火の車財政といわれる鳥取県はどうだろう。

人口は57万人で全国最下位、財政のレベルを表す財政力指数は同じく45位。そして鳥取県議会議員は35人。月報酬47万5０００円、政務活動費年間３００万円です。１人年間８７０万円を得ていることになります。しめて3億４５０万円ですな。

市区町村議会議員は全国で2万９８３９人が定員です。約3万人ですよ。これらの議員報酬も我々の税金から自治体が支払っているのです。彼らの多くも条例の制定なんて考えたこともない。そもそも条例の制定にはかなりの法律の知識が必要ですが、そういうレベルの人はほとんどいないのです。なんで議員になったんだろうね。ホントに。

そこで、都道府県会議員の定数を各20人とするのです。これだと、全国で現在の２６０９人から９４０人に減らせる。市区町村会議員もそれぞれの定員を10人、人口が少ないところでは5人とする。これだと現在の2万9839人から1万人以下に減らせる。

そして報酬は日当制にして、議会に出席した日数に3万円をかけるのです。仮に議会が100日あれば300万円です。政務調査費とか費用弁償費などは廃止。この結果、約1万1000人の議員への報酬は年間総額で11億円になります。自治体の財政はかなり助かりますよ。

そもそも議員は定職を持っていなくてはいけません。議員報酬を生活費に充てるなどもっての外です。自分の仕事で生活し、議員はボランティアでなくてはならない。ところが、議員を仕事にしてしまっているため、落選したら生活ができない、自分が引退したら息子に継がせるということになるのです。議員が家業になっているね。

こんなことではまともな議員活動、ましてや立法行為なんぞ、夢のまた夢。速やかに地方自治法の改正を、と言いたいけど、それを改正するのは国会議員で、その国会議員は地方議員に支えられているから、いつまでたっても、日本はまともな議員が育たない。

私は戦前、軍人たちが国、地方を問わず、議員たちを目の敵にしたのがよく分かるような気がしますね。

太平洋戦争（令和2年6月）

私の手許にある平成18年版の中学校の教育出版の教科書「歴史」の記述です。
「12月8日、日本陸軍はマレー半島に上陸し、海軍は真珠湾を奇襲攻撃して太平洋戦争が始まりました」。

同じく平成2年度用の清水書院の教科書「高校日本史」の記述。
「1941（昭和16）年12月8日、日本軍は、（中略）米・英に宣戦を布告した（太平洋戦争の勃発）」。

いずれも大東亜戦争ではなく、太平洋戦争となっていますね。私の高校時代の教科書（山川出版、三省堂）も「太平洋戦争」でした。扶桑社や自由社の教科書には「大東亜戦争」の文字がありますが、小中高の児童生徒のほとんどが使用している教科書は「太平洋戦争」だし、新聞、テレビも「太平洋戦争」です。

驚くなかれ、私が在籍していた防衛省防衛研究所（防研）でも公式には「太平洋戦争」なのです。

防研の「戦史課程」の課題に「終戦の目途なく太平洋戦争に突入した決心について考察せよ」とかなんというのがあって、私は同期全員の前で、教官に「太平洋戦争って何ですか」と質問した覚えがあります。現役自衛官であった教官は、「我々は、いつもは大東亜戦争といっているんですが、公式には太平洋戦争といわされているんですよ」と苦笑していました。

でも、これって少し変じゃありませんか。

12月8日に対米英戦争が勃発し、政府は12月12日の閣議で、「今次戦争ノ呼称」を「支那事変ヲモ含メ大東亜戦争」とすることを決定したのです。つまり、「大東亜戦争」は「大東亜新秩序」建設のための戦争であり、そのため戦争名はその目的に沿って「大東亜戦争」とすると閣議が決めたのですから、政府機関はもちろん、検定を受けた教科書、公共放送であるNHKなどは、この閣議決定が、閣議によって否定されない限り、「大東亜戦争」と呼称しなくてならないのです。にもかかわらず、防衛省の機関である防研も教科書もNHKも「太平洋戦争」というのはなぜだろう。

それは終戦の年の昭和20年12月15日にGHQが出した神道指令によるのです。

神道指令はいわゆる国家神道を否定することを主たる目的としたものですが、この中に「大東亜戦争」の呼称を禁止し、「太平洋戦争」とするという一文があるんだね。

そもそも、人々がどのような信仰を持とうかは個人の勝手です、大東亜戦争中だって、日本人全員が国家神道だったわけでありません。キリスト教の教会だって存在したし、仏教での葬式だって出していた。宗教の在り方なんて、戦争に負けたからといって、戦勝国に強制されるもんじゃない。これは明らかな「ハーグ条約」違反。

戦争の呼称も同じ。自分が戦った戦争をどう呼称しようが、その国の勝手です。ソ連が「大祖国戦争」と言い、チャイナが「15年戦争」と言い、アメリカが「第二次世界大戦対日戦争」

と言おうが、日本の知ったことじゃない。勝手にいえばいい。日本は日本で「大東亜戦争」と言えばいいのです。にもかかわらず、なぜアメリカを中心としたGHQは神道指令を出して、わざわざ「大東亜戦争」の呼称をやめさせ、「太平洋戦争」といわしめたのか。

それはアメリカが大東亜（アジア）で戦争をしなかったからです。

日本との戦争に勝ったのはアメリカです。イギリスでもオランダでもチャイナでもありません。イギリスもオランダもチャイナも、アジアにおいて日本にぼろくそに負けたんです。だけど、アメリカが原爆、焼夷弾という禁じ手を使い、非戦闘員の大量虐殺という第二次世界大戦における最大の戦争犯罪を行ったため、日本としては戦争が継続できなくなったのです。

アメリカが戦ったのはガダルカナル、ニューギニア、グアム、サイパン、フィリピン、硫黄島、沖縄などで、アジアではないので、大東亜戦争とされると自分が戦勝国であるという認識を日本人に植え付けられないと思ったんでしょう。そこで、大東亜戦争の呼称を禁止して、太平洋戦争などという名前をでっち上げたのです。

大東亜戦争か太平洋戦争かというのは、単なる呼称の問題ではありません。戦争の意義そのものなのです。それなのにGHQの占領が終わっても、神道指令をそのまま順守しているのです。

では、太平洋戦争とはいったい何か。手許にある『世界戦争事典』（ジョージ・C・コーン著、河出書房新社）に「太平洋戦争」の項がありました。そこには1879年から1884年まで戦われたチリ・ボリビア連合軍対ペルー軍によって、硝石資源の獲得のため、アタカマ砂漠の領有をめぐって戦われた戦争が「太平洋戦争」であると書かれています。

世界戦争史において「太平洋戦争」とは19世紀の南米で戦われた戦争のことだったんだね。これは世界の軍事史家の常識なんですよ。

だからこそ、われわれは世界の常識にのっとって、あの戦争を声高に「大東亜戦争」と言おうではありませんか。

黒川検事長事件（令和2年7月）

東京高検検事長だった黒川弘務が、新型コロナ問題で国民に外出自粛要請などが出されていた5月に、産経新聞記者や朝日新聞社員と産経新聞記者の自宅マンションで複数回、賭け麻雀に興じていたことが発覚し、訓告処分を受けて辞職する事件がありました。

元産経新聞編集局編集長の私もいくつかの問い合わせや意見、感想を求められましたので、この場をお借りして、私の考えを申し述べたいと存じます。

黒川君は無類の麻雀好きで、数年前から、各社の記者と賭け麻雀をしていたそうです。新聞記者が取材先と麻雀をすることはよくあることで、通常は現金を賭けます。麻雀のできる人で、賭けたことのない人はまずいないでしょう。賭け麻雀自体は違法ですが、それが生活の一部になったり、生活を脅かしたりするようなことがなければ、可罰性はないとされます。私もかつて取材先と賭け麻雀をやりました。相手には警察官もいました。

今回、特に問題になっているのは賭け麻雀もさることながら、自粛期間中であったことと、ハイヤー提供の便宜供与があったことです。

新型コロナの自粛期間中に三密の典型である麻雀をしたことは非難されるべきでしょう。便宜供与ですが、検事長側からすれば、これは厳しく指弾されるべきことです。新聞社側からすれば、何の問題もありません。車の中で取材したことを問題視する向きもありますが、これも問題ありません。車の中で取材するのは「ハコ乗り取材」といって、重要な取材姿勢のひとつです。ハイヤーを提供して取材するなどはイロハです。取材源の秘匿ですが、本件ではすでに名前が明らかになっているから、これも関係ありません。

個人的には検事長を自宅に呼んで麻雀をするなんて、立派なものだと思います。取材先に食い込むのは記者の鉄則で、自宅麻雀など、その極致です。記者の鑑（かがみ）といってもいい。ですが、それで取材相手の都合に合わせるということはあり得ません。書くときはあくまで厳しく書きます。その辺を多くの人は誤解をしている。ただ、自粛期間中であることと、賭け率が高めであることは問題です。

自粛期間中、三密状態で賭け麻雀をしたわけですから、新聞社として非難を受けるのは当然ですし、産経も朝日も謝罪しました。おそらく当該記者とその上司は何らかの処分を受けるでしょう。

しかし、本質的な問題はそこにはありません。なぜこの問題が表面化したかです。それは週刊文春が書いたからです。

1月の閣議で官邸に近いとされる黒川の定年延長が脱法的に決められ、次期検事総長と目されたことが発端です。週刊文春が24時間態勢で黒川の動静を探ったことは容易に想像できます。そして今回の記事になったのです。

新聞記者に誘われたからといって、記者の自宅に出かけ、賭け麻雀をやってハイヤーで自宅まで送ってもらう、こんな非常識な行動をする検事長なんて聞いたことがありません。しかも記者会見すらしない。私は黒川の映像を見ると自粛期間中にパチンコ店に入っていくおっさんの顔とダブるのです。

かつて取材した検事正、次席検事、検事（中にはその後、検事長になった人も複数います）はもっと見識があったし、人格も高潔でした。だからこそ、政治家をも逮捕できる検察は国民の信頼を得ていたのです。

こんなレベルの人物を安倍内閣が、「余人を以って代えがたい」などと言って、違法に定年年長して検事総長にしようとしたこと、さらには検察官に対して恣意的な人事が可能になる定年延長に特例を設けたことこそが厳しく非難されるべきです。これは民主主義の破壊につながります。

思うに、余りにレベルの低かったあの3年間の民主党悪夢政権が国民に愛想をつかされた結果、自民党に政権が戻り、安倍内閣がそこそこの支持を受けてきたことから、安倍内閣は政権の座にあぐらをかき、何をやっても国民は民主党を支持しないとたかをくくったのではないでしょうか。モリ、カケ、サクラをふくめ、いまの安倍政権には腐敗・独善の臭いがします。

返って来ない北方領土の開発に多額の予算を投入し、プーチンを山口に招きましたが、ロシアは北方領土を返す気などさらさらありません。むしり取られるばかりです。

今世紀最大のファシスト、習近平を国賓として招こうとしたり、拉致問題では何もせず、朝鮮総連本部問題では競売という解決の大切なカードをどぶに捨て、第1次安倍内閣のとき、「参拝できなかったのは断腸の極み」と言いながら、靖国神社に参拝せず、モリ、カケ、サクラ、クロカワで嘘ばかりついている安倍政権、口を開けば何とかのひとつ覚えのように「しっかりと」と言っていますが、いまこそ、しっかりと辞めていただきたいと思います。

イージスアショア（令和2年8月）

イージスアショアの配備計画が中止となりました。新聞に大きく取り上げられているから、みなさんもご存じだと思いますが、大方の新聞の取り上げ方は、発射されたミサイルから落下するブースターが、住民の上に落ちるかもしれないという危険があり、それを回避する技術が十分ではなく、地元への説明がきちんとなされていなかったということが、その理由だというのです。その上で、防衛省の責任は大きい、と指摘しています。このため、防衛相が地元の秋田県と山口県を訪れて知事らに謝罪しました。

でも、この論点、どこかおかしくないですか。

イージスアショアは北朝鮮から日本を攻撃するために発射されるミサイルを高性能レーダーで探知し、迎撃ミサイルＳＭ３で迎撃するものです。

海上自衛隊はイージス艦を現在７艦持っていて、一部を日本海に展開、北朝鮮が日本に向けてミサイルを発射したら、直ちに察知して迎撃ミサイルを発射することになっています。イージスアショアはその地上版というわけです。要するに日本と日本人の生命、身体、財産を守るためのものです。

世界の汚点である北朝鮮は何をしでかすか分からない狂犬病国家です。そんな北朝鮮から日本を守ることは何にもまして重要なことです。

イージス艦はありますが、日本海が悪天候だったり、その他の理由で、期待通りの働きができなかったりした場合、地上に配備されたイージスアショアが迎撃する態勢をとります。日本各地に配備されたＰＡＣ３も同じです。これにより、二重三重の防衛体制が組めるわけで、信頼度は増します。

そのためにはイージスアショアは北朝鮮から日本に至る範囲をカバーする必要があり、秋田市の陸上自衛隊新屋演習場と山口県萩市の同むつみ演習場に配備することが決まったのです。

日本海全体をカバーする意味で、秋田と萩の配備は納得でした。しかも、両方とも陸自の演習場だから、問題はなく、イージス艦、イージスアショア、そしてPAC3の三段構えで、北朝鮮の恫喝にいちいち反応する必要のない防衛体制ができると思ったもんです。

そして何よりも日本全体を守るイージスアショアが配備されることに秋田県も秋田市民も、山口県も萩市民も誇りを感じ、どうか、イージスアショアを配備して、日本を守ってもらいたいと熱望していると信じて疑いませんでしたね。

ところがどうだい、秋田、山口の両県とも、「そんな危険なものを持ちこんできてもらっては困る」という反対論が出たんですよ。

その最大の理由が、SM3を発射した際に落下するブースターが基地内に落下するとは限らず、市民の上に落下するかもしれないという懸念があることを挙げているんだね。

私は開いた口がふさがらなかった。北朝鮮のミサイルとブースターのどっちが危険なのかね。

SM3が発射されるのは北朝鮮のミサイルが日本に向けて発射されてからです。もし、S

M3を発射せず、迎撃に失敗すれば、日本のどこかに着弾して多くの日本人に犠牲者が出るでしょう。その被害を食い止めるための迎撃でブースターが市民の上に落下し、やはり犠牲者が出ることは痛ましいことではあるけど、北朝鮮のミサイルによる犠牲者の比ではないでしょう。

迎撃に犠牲者はつきもの、などという乱暴な話をしているのではありません。北朝鮮のミサイル攻撃を忘れて、落下するブースターの危険を問題にする感覚がおかしいといっているのです。これって地域エゴにみえるよ。配備すること自体が抑止力になるということも知らなくてはならないよね。

にもかかわらず、日本の国全体の防衛体制は二の次で、演習場近辺の市民の安全を優先するということで、日本の安全は確保されるのですかね。

こうなった以上、次の手段を考えなくてはならない。こうしている間にも北朝鮮は何をしでかすか分かりませんからね。

ところがです。では、どうするかという検討チームを立ち上げたのは政党では自民党だけなんです。私は自民党の支持者ではないけれど、早速、検討チームを立ち上げたことは評価していい。他の政党は政府の批判をするだけで、ではどうするかという議論が出てこない。マスコミもそうなんです。朝日や毎日は、防衛省の市民への説明の無責任さをなじるだけ。ではどうするのかという議論はそっちのけです。読売は代替案を考えろと言い、産経は敵基地（策源地）を攻撃する力を持てと言っています。どの新聞が日本の安全、国民の生命、身体、財産のことを考えているかは一目瞭然だよね。

平和ボケというより大ボケのこんな政党やマスコミが大手を振っているような国は、北朝鮮のミサイルが翔んでこないと目が覚めないいんだろうか。

破の巻

フランシスコ教皇（令和2年9月）

第266代ローマ教皇、フランシスコは異例づくめの教皇であらせられるそうですな。まずは前教皇の退位による就任。そもそもローマ教皇は終身とされ、退位などはあり得なかったのですが、前教皇のベネディクト16世が高齢による健康上の理由で2013年に退位しました。彼はドイツ人で元ヒトラーユーゲント。兵士としての訓練も受け、18歳で終戦を迎え、一時は捕虜収容所に入っていました。しかし、それは問いますまい。当時のドイツは10歳から18歳までの健康な男子はヒトラーユーゲントに入ることが義務付けられていたのだから。

退位は1415年のグレゴリウス12世以来のことだそうですな。しかも個人的な理由による退位は1294年のケレスティヌス5世以来というから、日本でいえば鎌倉時代以来という大椿事（だいちんじ）だったわけです。退位理由は高齢だけど、児童の性的虐待事件、マネーロンダリング問題、果てはホロコーストに関する発言者への擁護など、とても神に仕える組織とは思えぬ不祥事にまみれての退位だから、本音はその辺にあったのかもね。

そこで登場したのがフランシスコさん。イタリア系アルゼンチン人。南米出身であることが、まずが初めて。イエズス会出身であることも初めて。そして、これまで使われていなかった「フランシスコ」という教皇名を名乗ったのも初めてです。だから、彼は「何世」というのがつかないのです。ま、将来、フランシスコを名乗る教皇が出たら、そのとき、めでたく「フランシスコ1世」となるのでしょう。

彼は2013年に即位し、2019年11月、来日しました。タイから空路、来日したんだけど、機上で香港、チャイナ、台湾の指導者にメッセージを送りました。しかし、香港の民主化運動には全く触れなかった。

チャイナ政府はこれまでカトリックをふくむキリスト教を弾圧してきていて、クリスチャンが収監されたりしているんですけど、それにも触れませんでした。

これには香港の枢機卿が、「中国の弾圧、香港の民主化について教皇は介入しなければならない」と怒りの談話を出しているほどです。

そんな声はどこ吹く風、フランシスコさんは無事に日本に来て、東京ドームでミサを執り行いました。そして日本から帰る際に、香港問題を聞かれて、「私は中国に行きたい、中国を愛している」と質問には直接答えずにはぐらかしました。

どうもかなりチャイナに遠慮しているようだね。なぜなのか。

チャイナはバチカンが任命した枢機卿を原則として認めていなかった。そこで、バチカンはチャイナ政府と秘密裏に交渉をしたらしいんだね。その結果、チャイナ政府は枢機卿を認める、その代わりバチカンはチャイナ政府の政策に口出しをしないという「密約」を結んだらしいんだ。「らしい」としか書けないのは、当事者が何も言わないから。ま、ありそうなことだけどね。

というわけで、香港の人々が自由と民主化を叫び、チャイナが「香港国家安全維持法」を押し付け、香港市民が弾圧の中で血の叫びをあげていても、知らぬ顔の半兵衛を決め込んでいるんだね。

そしてきわめつけが7月5日の恒例の教皇講話。

教皇講話は毎週日曜の正午、教皇がサンピエトロ広場に集まった信者らに向かって、平和や人権に関する講話をすることになっていて、原稿は事前に記者団に配られる。7月5日も事前に原稿が配られ、そこには香港問題に触れて、「私は社会的自由、とくに宗教的自由が完全な形で表現されることを願っている」と書いてあったんだけど、実際の講話では、この部分は読まれなかったんだ。しかも講話直前、バチカン側から記者団に「香港問題については言及しない」と通告があったんだって。

驚きましたね。多分、チャイナは事前に配られた原稿を入手、教皇の講話直前にバチカンに対して強硬に抗議をしたんだろうね。教皇側はそれに屈したんでしょうな。

なんとも情けないことではありませんか。バチカン専門紙の記者は、「チャイナは教皇に猿ぐつわを噛ませた」と表現したそうですが、はっきり言わせてもらうけど、こんな人はローマ教皇である資格はないね。香港はもちろん、チャイナ本土で、民主化と自由のために闘っている人権派弁護士、ジャーナリスト、学生らを裏切る行為だね。そんな人間が平和や人権をいくら叫んでも、誰も耳を傾けないよね。

かつてペテロは鶏鳴教会で、イエスを裏切り、その報いとして、逆さ磔を希望して殉教したけど、フランシスコにはペテロの1万分の1の良心もない。

ペテロはイエスによって一番弟子とされ、晩年はローマで熱心に布教活動を行い、後世、初代ローマ教皇とされているけど、21世紀最大のファシスト、習近平の言いなりになる教皇が天国に入れないことは自明でありましょう。

中国国民党（令和2年10月）

1949年、中国国民党は内戦に敗れて、台湾に亡命し、台北に亡命政権を建てました。以後、現在に至るまで、国民党は「反共」「中国はひとつ」のスローガンのもと、「大陸反攻」を目的としています。まあ、それはいいでしょう。腐敗堕落した政権ではありましたが、共産党の絶対恐怖弾圧政治に比べれば、国民にとって国民党の方がどれだけかましだったか知れません。

だけど、最近の国民党は何か変なんだよね。

国民党は1919年（大正8年）、孫文によって結成されたのはご承知の通り。それまでは興中会といって、満洲族の清朝を倒し、漢民族の国家を建設することを目的としていたんですね。辛亥革命によって清朝は倒されたけど、内部分裂や何やらで、なかなか孫文の目指す三民主義に基づく政治作りができなかった。そこで国民党が結成されたんだけど、孫文は死に、蔣介石が後継になり、北伐の後、チャイナの事実上の支配者になると、またぞろ始まりました。腐敗堕落です。

日本では政権が腐敗堕落して打倒されるという歴史はほとんどないんですが、チャイナはいつもですね。朝鮮もそうです。民族の属性かもしれませんね。

腐敗堕落すれば、民心は離れていくのは当たり前で、共産党が台頭して、国共内戦に敗れちゃったわけです。仕方がないから台湾に亡命政権を建てました。50年間、日本の統治下で、近代国家づくりに励んでいた台湾人からすれば大迷惑だったよね。日本の統治の方がずっと良かったからね。

個人的には日本はシナ事変の後、国民党と妥協して、共産党を駆逐するべきだったと思いますね。しかし、結果として、日本は蔣介石政権を追い詰め過ぎてしまい、日本がチャイナから撤退した後、国府軍（国民党軍）は八路軍（共産党軍）と戦ったけど、負けてしまった。大東亜戦争後、チャイナに残った日本軍人は国府軍の顧問になったりして、ずい分応援したけど、あとの祭り。台湾に移ってからも白団を結成して、蔣介石を応援したんだけどね。

蔣介石の国民党は二二八事件に象徴されるように、台湾人に対して過酷な弾圧政治で臨みました。いわゆる白色テロですな。とはいっても、大陸の共産主義よりはましで、日本の援助もあって、経済は成長し、ついには台湾人である李登輝が総統になって、民主化を成し遂げるまでになりました。その点、台湾人でありながら、非難を受けても国民党に入り、民主化を達成した李登輝さんは偉いね。先だってお亡くなりになりましたが、深く哀悼の意を表します。

彼のモットーは日本精神だったから、台湾民主化は日本精神によってもたらされたといってもいいかもしれない。

民主化の結果、民主進歩党が結成され、以後、台湾は国民党と民進党の二大政党による政党政治になっているんですが、本来、「大陸反攻」で反共の砦だったはずの国民党が、最近、中共べったりになっているよね。

初めて選挙で総統が選ばれたのは1996年、現職の李登輝は圧勝したけど、4年後には連戦が民進党の陳水扁に敗れて、初めて野党になった。その翌年、国民党は何と、李登輝の党籍を剥奪したんですよ。この辺からおかしくなり始めました。

野党となった国民党主席の連戦はこともあろうに北京に出かけて行って、共産党総書記だった胡錦濤と会見しちゃんたんだね。

理由は「チャイナは一つ」。

民進党は台湾独立が最終目的。しかし、台湾もふくめて「チャイナは一つ」は国民党、共産党の共通認識だから、北京に行って、「チャイナは一つ」を確認しちゃったわけ。その後の主席の呉伯雄も北京を訪問、同じく馬英九は中台接近を演出、毛沢東の本を解禁し、2015年にはシンガポールで習近平と会談して握手しちゃたんですよ。あの21世最大のファシスト、習近平ですよ。そして極めつけが香港問題。

ご承知の通り、いまの香港政庁は、中共の走狗と化して、ちょっとでも中共に反対する者は国家の敵とみなして投獄する、それも終身刑もあり得るという、完全な恐怖弾圧政治を行っています。それに反対するいたいけな女子学生を逮捕するという、ナチスドイツ顔負けの状況です。

これに対して、今年1月に行われた総統選では、国民党候補の高雄市長、韓国瑜が香港問題を聞かれて、「よく知らない」と答え、激しい批判を浴び、「一国二制度」反対の民進党、蔡英文に惨敗しました。6月には高雄市長も罷免されてしまいました。

かつて「反共」を党是としていた中国国民党は、いまや中共の提灯持ちに成り下がっている。国民は中共のいう「一国二制度」が嘘っぱちであること、中台経済交流が中共による経済侵略であることをよく理解していますね。

孫文以来の歴史を持つ国民党ですが、中共の手先になってしまった以上、こんな政党は要らないね。孫文も蔣介石も、墓の下で泣いているよ。

ファシスト国家（令和2年11月）

アネクドート（政治風刺）をひとつご紹介しましょう。

「アメリカでは警官に逆らった黒人は射殺される。ロシアではプーチンを批判した者は毒殺される。中国では習近平を批判した者は逮捕され、拷問され、廃人となる。北朝鮮では金正恩を批判した者は銃殺される。そして日本では安倍晋三を非難した者は褒められる」。

これは私が作ったアネクドートです。ついでに、北朝鮮での公開銃殺の方法をご紹介しましょう。一般の脱北者や、実際に北朝鮮の収容所に勤務経験のある脱北者らの証言によるものです。

まず、金正恩や朝鮮労働党を非難した者は、基本的に公開銃殺とされていて、銃殺される地区に住んでいる住民は赤ちゃんもふくめて全員が処刑に立ち会わなくてはならないとされているそうです。金正恩サマに逆らうとこういう目に遭うぞ、という脅しの意味があるわけでしょうね。だからこその公開です。

被処刑者は処刑場に連れて行かれる前に、両膝のお皿を割られます。こん棒でたたき割るのだそうです。逃亡を防ぐ意味もあり、歩けなくするためでもあり、一切の反抗的態度を示させないためです。次に両目を潰されます。これは処刑に立ち会う住民の中に親族や知り合いがいるかも知れません、それらの者とアイコンタクトなどをさせないためです。さらに口に中に砂利を突っ込みます。もちろん、処刑場で「金正恩死ね！」などと叫ばせないためです。

そうしておいて、刑吏2人が両腕を抱えて引きずるように処刑場に連れて行き、柱に縛り付けます。本人は立つことができませんから、柱に寄り掛かるような姿勢になります。そこを射手が撃つのですが、射手全員、実弾装填です。一般の銃殺は実弾と空砲を混ぜ、射手の心理的負担を減らすのですが、そういうヤワなことはしないそうです。

そして命令一下、銃殺されるわけです。責任者が死亡を確認すると、住民は解散となります。住民は帰りながら舌打ちをするのだそうです。それが唯一の処刑に対する非難行為だといいます。

韓国の友人は、ある脱北者に聞いたそうです。

「あなたは公開銃殺を見たことがありますか」

すると、彼は笑い出したそうです。なぜなら、北朝鮮では公開銃殺は日常茶飯事で、見たことのない者はいない、愚問だというわけです。

これが、日本社会党や日本共産党が、「地上の楽園」ともてはやした北朝鮮の実態です。彼らはいま、知らんぷりをしていますが、過去の日本の断罪に血道を上げる前に、自分たちの過去に向き合ったらどうなんだろうね。

ちなみに、スターリン時代のソ連では、銃殺にかかった費用を、銃殺された者の遺族に請求したというから、驚き、呆れますね。人間、そこまで冷酷になれるのかね。ドイツもひどかったけど、共産主義というのは本当に怖い。

ところで、なぜ、こんな生々しい話を紹介したかというと、いま、チャイナで、これに近いことが行われているらしいのです。「らしい」と書いたのは、脱北者のような存在がいないからです。ではどのような情報源かというと、新疆ウイグル地区や、チャイナが内モンゴルといっている南モンゴルの人々がネットでひそかに日本やアメリカに情報を送っているのです。

それらを総合して判断すると、新疆ウイグル地区に380カ所以上の強制収容所ができていて、共産党に逆らったウイグル族らが50万人から200万人、収容されているというのです。日本に留学しているウイグル人で、家族と連絡の取れなくなっている人が多くいるそうです。

収容所の様子は分からないのですが、収容所勤務の漢人が、余りのひどさに義憤を感じて内容を書いた文書をひそかにアメリカに送りました。その内容は、銃殺はさすがにないのですが、拷問や虐待は当たり前だと書いてあるそうだ。

この秋から、南モンゴルでも、弾圧が始まりました。小学生と中学生の授業からモンゴル語がなくなり、中国語の教育だけになる。モンゴル族が民族の生命ともいえる言語を奪われようとしているのです。それに反発した人々が抗議をしたりすると、たちまち逮捕されて、収容所に送られるそうです。第2の新疆ウイグル化が始まっている。

我々のすぐ隣の国で、こんな野蛮で残酷な行為が平然と行われているのです。しかし、日本の国会で、これについての議論を聞きません。私には不思議でしょうがない。日本の国会議員は与党も野党も、党利党略と次の選挙のことしか頭にないのだろうか。

新首相の菅君はチャイナの外相、王毅君に会うそうだが、まさか、習近平の国賓来日の話ではないよね。

私は、国会議員は大嫌い。税金泥棒だと思っています。年末年始の休みを利用して、みんなで新疆ウイグルと南モンゴルに行ってはどうかね。

日本学術会議（令和2年12月）

日本学術会議に関する議論がかまびすしいようですな。

ことの発端は同会議が新たな会員候補として105人の名簿を内閣に提出したものの、内閣がこのうち6人の任命を拒否したことです。これまで、新たな会員候補の承認を行わなかったことはなかったというので、この拒否は「政府による言論統制だ」「学問の自由の否定だ」「政府の言いなりでないと会員になれないのか」と言った批判が出たことです。同会議はもちろん、野党、マスコミ挙げて、政府の拒否は「自由と民主主義、学問の自由への挑戦」だとして非難囂々（ごうごう）です。

でもこの非難、ちょっと違うと思うんですよね。

まず「政府による言論統制」ですが、言論統制とは、政府に対して不都合な言論をした者を取り締まることです。今回は特別職の国家公務員である学術会議のメンバーに任命しないというだけのことです。言論統制とは、逮捕、検挙、罷免、減給、などの法的あるいは懲戒的処分を受けることです。学術会議の会員になるかどうかなんて、どうでもいいことではないかな。政府のことをボロクソに言っている学者は数多くいるけど、彼らが政府から何らかの取り締まりを受けたなんて聞いたことがない。そもそも、学術会議のメンバーで、政府の政策を批判、非難している人はたくさんいるじゃないの。

次に、「学問の自由の否定」ですが、これには笑っちゃった。特別職の国家公務員で、お手当も頂いていて、「言論の自由」もないもんだ。本当に言論の自由を全うしたいなら、政府から金をもらうんじゃない。政府であれ、どこであれ、金を出せば口も出す。いままで、金だけ出して、口を出さず、学術会議のわがままに付き合ってきた政府こそがお人よしということです。「学問の自由」を言うなら、政府であれ、どこであれ、大学からの給料以外は受け取らないことだね。「学問の自由」を謳歌できるのは、自衛隊と日米安保条約が北朝鮮のミサイルやチャイナの侵略から日本を守っているからじゃないの。

最後に、「政府の言いなりでないと会員になれないのか」ということは、現在、会員になっている人はみな政府の言いなりである、と言っているようなものです。ですが、私にはどうみても今の同会議が政府の言いなりになっているようには見えません。むしろ、逆で、政府に対する批判の府にしか見えません。「軍事に関する研究をしない」という、日本の安全保障に背を向けた決議を行っていながら、チャイナの科学技術協会と相互協力の覚書を交わしているのだから、政府の言いなりではなく、チャイナの言いなりにしか見えないよね。

なぜ6人を任命しなかったのか、という点について、政府は何の説明もしていません。菅クンは「思想の問題ではない」「説明できることとできないことがある」なんて、あやふやなことを言っているが、これはよくない。はっきりと、「任命を拒否した6人は特別職国家公務員にふさわしくない言動があったため」と言うべきです。

要するに、特別職の国家公務員として、多額の税金を消費する以上、政府の政策に協力してほしい、ということですよ。政府に真っ向から反対する人を任命してきた、これまでの内閣こそがおかしい。

そこで考えた。この6人の任命拒否はだれの発案なんだろう?

菅クンか、あるいはブレーンが、ただ単に、「この6人は政府批判の急先鋒だから、任命するのをやめよう」と考えただけなんだろうか。どうも、そうじゃないと思う。

6人の任命を拒否すれば、当然、左派は「言論統制だ」「学問の自由の侵害だ」と激高するでしょう。すると、保守派が、「学術会議は左に偏向している」「日本の安全保障に背を向けている」と同会議の在り方を問題にするでしょう。多くの国民も、学術会議のメンバーが特別職の国家公務員で、年間10億円もの税金を頂いている事実を知って驚き、チャイナとは協力しながら、日本の安全保障に背を向けている現実を知って憤慨するでしょう。そうなれば、多くの国民が「学術会議って、必要なの？」「いっそ、学術会議を廃止したら」と考えるようになる。すでにそういう議論が始まっている。学術会議の梶田隆章会長は政府に対し、学術会議の在り方について、年内に報告書を出すことを約束しました。政府も税金がどのように使われているのか、同会議が出す提言のレベルはどうなのかなどについて、精査する構えです。「構えです」と書きましたが、これこそが菅クンがやりたかったことではないかな。任命拒否で激高し、政府を批判した学術会議が、いまや守勢に回っている。同会議としては狐につままれたようではないかな。

菅クンの考えはこうだ。

「最終的には学術会議は潰す、潰せなくても、このまま左派の根城にはしない。そのためには国会、マスコミ、国民を巻き込んだ学術会議の在り方を批判的に展開するキャンペーンが必要だ。それには任命拒否が一番手っ取り早い」。

こう考えたとしたら、菅クン、なかなかの策士じゃありませんか。

社民党（令和3年1月）

世の中にはおバカキャラというものがあるんだそうですな。知識教養のなさをウリにしたりするタレントもそうです。彼ら、彼女らが本当にバカなのか、バカな振りをしているかは分かりませんが、「私はバカです」と言っているところが、ウケるのでしょう。

しかし、本当にバカなのに、バカを自覚していない者ほど扱いに困るものはない。その筆頭が社民党ではないだろうか。

その社民党が11月半ばに都内で臨時党大会を開いたというから、驚いてしまった。なぜかというと、党大会を開けるほどの党員がいるんですか、ということ。しかも習近平ウイルスの最中に、なんで臨時大会なんですか、ということ。

だけど、報道を見てまたびっくり。なんと臨時党大会を開いた理由が社民党の国会議員や地方組織が、立憲民主党に合流することを認めるかどうかという議案を審議するためだったんだって。要するに、社民党はこのままではお先真っ暗だから、野党第一党の立民に鞍替えすることを認めるための大会ということ。もちろん、残る者もいるだろうから、党は分裂するわけですな。つまり、党の分裂を認めるために、わざわざ臨時党大会を開催するということ、これって、ブラックジョークなんじゃないの。分裂を阻止するためにいろいろ工作をするというのはあり得ることだけど、分裂を認めるための党大会なんて聞いたことがない。

さて党大会では立民への合流を認める議案を賛成多数で可決したそうです。もっとも、大会は大荒れで、賛成派と反対派が非難の応酬をしたそうだけど、「小人は同じて和せず」ということだね。

普通に考えると、出て行く者は裏切り者なんだから、石ツブテを背中に受けながら、黙って出て行きゃいいんじゃないの。それを臨時党大会まで開いて認めさせるというのは、どういうことか。

社民党には現在4人の国会議員がいるそうです。衆議院に吉川元、照屋寛徳、参議院に福島瑞穂、吉田忠智です。公職選挙法では政党とは、国会議員が5人以上いるか、直近の国政選挙で法定得票の2％以上を得票することが条件なんだそうですが、4人では要件を満たさない。だけど、直近でかろうじて2％を超えたんで、まだ政党として認められているそうな。でも次の選挙では多分、2％を切るね。そうなったら、政党として扱われなくなる。

ではなぜ、政党として扱われなくなると困るのか。それは政党助成金がもらえなくなるからです。社民党は令和元年度、3億8000万円の政党助成金を受け取っています。政党として認められなくなると、これがゼロになるわけです。要するに金の切れ目が縁の切れ目。思想なんか二の次なんですよ。

そしてなんと、4人のうち福島党首を除く3人が立民に移行するんだそうです。そうなると、社民党の国会議員は福島さんただ1人ということとなりますな。

国会議員ただ1人というのは、なかなか感慨深いものがあります。社会党は、一時は衆議院で160人以上いたんですからね。

終戦直後の昭和20年秋に結党した日本社会党は同22年には片山哲を首相とする社会党内閣を実現し、その後、右派と左派に分裂したリ、民社党が分離したりと、紆余曲折があったけれど、野党第一党の地位を占め、平成6年には自民党と組んで村山富市内閣を誕生させた。その政党がいまや国会議員1人ですよ。

平成8年には党名に「民主」を入れて社会民主党としたけど、とにもかくにも、言っていること、やっていることが、まったくのおバカだったね。北朝鮮は地上の楽園、文化大革命は人間性の回復、日の丸は侵略の旗、君が代は天皇崇拝、挙句の果てに非武装中立だって。そして朝鮮労働党と友党関係だったんですよ。友党関係は凍結したとは言っているけど、解消したとは言っていない。

北朝鮮が地上の楽園だと思っているのは世界で金正恩だけ。文化大革命は中共自身が否定、君が代も日の丸も国民に愛され、北の脅威、チャイナの脅威に日本は国防の充実を迫られている。

社会党は平成4年のカンボジアへの自衛隊ＰＫＯ派遣で何と言って反対した？　自衛隊の海外派兵を認めたら、日本は軍国主義になる、と言ったんです。その後もさまざまなＰＫＯが出たけど、あれから28年、日本は軍国主義国になったのかね。

つまり、社会党、社民党が言ってきたことで、まともなものは何一つなかったんですよ。でたらめを絵にかいたおバカ政党です。おっと、もう政党ですらなくなるんだ。

こんな連中が国会議員のバッジを付けて、税金で歳費をもらい、議員宿舎に住み、議員会館を事務所にし、公設秘書も車も付けてもらっているなんておかしいよ。

いまや社民党はただのおバカですむけど、隠れ社民党の集まりである立民を何とかしないとね。社民の遺伝子が濃厚に入っているから。

韓国の裁判所（令和3年2月）

○○だ○○だと思っていたが、ここまで○○か韓国は。
これは都々逸です。7775になるように○○には好きな言葉を入れてください。

私はこのような品のない都々逸は本来好きではないのですが、韓国と称している朝鮮半島南半部を占有している政権が、ここまで狂ったかと唖然としたのが、1月8日にソウル中央地裁で出された判決です。この判決を聞いて、この都々逸がすぐに頭に浮かんだね。まさに国家も国民も発狂状態です。

かつて10年間にわたって韓国語を勉強し、友人も多くいます。目をつぶってでもソウルの街を歩けるほどソウルを知っているつもりでもあります。ですが、今回の判決は、この国が、国家の体をなしていないことを国際社会に明らかにしたものになりました。北朝鮮はチンピラ以下の国だけど、こうなると、この民族はハシにもボウにもかからないということになったね。

今回の判決がいかに非常識か、法律とは無縁の感情論、というより、国民感情に迎合した判決であるかについては、すでに多くのマスコミや識者によって指摘されていますが、要するに時効を無視していること、昭和40年の日韓請求権協定を破棄したこと、平成27年の慰安婦問題の「最終的かつ不可逆的解決」を踏みにじったこと、そして主権国家を被告にしたことに尽きます。

韓国の裁判官は法律を知らないのでしょうか。いえいえ、そうではありません。彼らとて法律を知らないわけではないのです。純法律的に裁判をやろうと思えば、「国際法では主権国家は被告たりえないので、訴えそのものを棄却」としなければなりません。彼らとて、それは分かっているのです。しかし、そんな判決を出したら、裁判官は裁判所から出られなくなるでしょう。「反日暴徒」が裁判所に押し掛け、裁判官を引きずり出し、袋叩きにするでしょう。警備の警官はいますが、彼らは見て見ぬふりをするでしょう。うまく裁判所を抜け出して、自宅に帰れたとしても、自宅が襲撃されるでしょう。家族も無事では済まない。学校に通っている子供は学校に行けなくなるし、家族の身の安全は保証できない。下手をすれば、家を放火されるかもしれない。

とにかく「反日無罪」の国ですから、日本に有利な判決をだすような裁判官は「国賊」とされ、どんな目に遭っても、だれも助けてくれません。要するに法治国家ではないのです。そんな目に遭いたくないから、裁判官たちは、法律に基づく判決は出せないのです。

それがこの国の実態です。民主主義や人道主義、司法の独立などは夢のまた夢。李氏朝鮮時代の野蛮国から何も変わっていないのです。せっかく日本が35年間も統治して、近代国家に育ててやろうとしたのですが、もともと近代とは無縁の民族性だったんだね。こんな国をまともにしようとした日本はお人よしでしたね。

それでは日本はどうしたらいいのか。私の結論は、前にも書いたのですが、ずばり昭和40年6月に日韓両国で締結された日韓基本条約の永住権条項の破棄です。

日韓基本条約では、昭和40年時点で日本に居住している韓国人を1世として、その後に生まれる2世、3世、その子孫もふくめて永住権を認めることになっています。この条約に基づいて、在日韓国・朝鮮人は日本に住んでいられるし、母国での徴兵に応じなくてもいいという、特権を有しているわけです。

韓国が協定を踏みにじったのだから、日本も条約を踏みにじり、在日の永住権を剥奪するしかありません。

その内容は、日本政府が、日韓基本条約の永住権条項の破棄宣言をし、在日韓国・朝鮮人に、例えば3年間の猶予期間を与え、その間に、国外に移住することを命じます。3年過ぎても日本に居住している人は、国外追放処分とし、財産を没収します。もちろん、この間、日本への帰化申請は認められません。

また、永住権を持たないまま日本に住んでいる来日韓国人についても1年間の猶予をもうけて国外退去を命じます。

いずれのケースも数年間は再来日を禁止します。

これを発表したら、在日は大騒ぎになります。韓国政府も半狂乱になるでしょう。しかし、協定を破ったのは韓国ですから、韓国政府は自分たちがどれだけ非常識なことを日本にしたかということを、いやというほど知らされることになるでしょう。

自分のやったこと、言ったことの責任をとるというのがまともな大人の世界ですから、韓国をまともな大人にしたいのなら、そのことを悟らせなくてはなりません。

それでもまともになれないのであれば、その時こそ正式に日韓基本条約を破棄して国交を断絶し、この国とは永遠に付き合わないことにすればいい。韓国は日本がなければ生きていけない国ですが、日本は韓国がなくなっても痛痒を感じることはないでしょう。その程度の国なのです。本当に○○に付ける薬はありませんね。

日王（令和3年3月）

大韓民国と称しているK半島南部を占有している小寒慨国についてはうんざりのし通しだが、天皇陛下を「日王と呼ぼう」と言った無礼者が、このたび駐日大使として赴任することになりましたね。名を姜昌一といいます。

この男は昭和27年1月、済州島生まれで、ソウル大を出て東大、東大大学院に留学し、ソウル大と東大から博士号を受けているので、そこそこのインテリではありましょう。インテリであれば、ある程度の常識があってしかるべきだが、日本のインテリとは違い、常識も礼儀も持ち合わせていない恩知らずの最低の男らしい。その恩知らずが、天皇陛下を「日王と呼ぼうと」とラジオで発言し、それを喜んだ、金正恩の使い走りの文在寅が大使に任命したのですな。

しかも、その発表の仕方が非常識極まりない。

大使とは特命全権大使であり、その国を代表する存在であるから、世界どの国でも、大使を任命する際は相手国に内々の打診をする。相手国が内々で承認したら、大使候補として発表し、それを受けて、相手国はアグレマン（承認）を出し、アグレマンを受けて赴任し、相手国の元首に信任状を提出して、正式な大使と認められるのです。

しかし、姜の場合、日本への通告は、発表のわずか1時間前。日本政府の意向を確かめもせずに、文政権は次期日本大使を姜昌一と発表したのです。にもかかわらず、日本政府は姜にアグレマンを出してしまった。

一部の国会議員からは、「アグレマンを撤回して、ペルソナノングラータ（好ましからざる人物）として着任を拒否せよ」との意見も出たが、政府はアグレマンを撤回する気はないらしい。これ以上、日韓関係を悪化させたくないということなのかもしれないが、悪化させているのは韓国ですよ。日本政府の相変わらずの弱腰、韓国への甘やかしが、韓国を付け上がらせているのです。

天皇陛下を「日王と呼ぼう」と言った無礼者が、信任状を天皇陛下に奉呈することを思えば、そんな無礼者を陛下に拝謁させること自体が不敬、無礼の極みであり、国家元首たる天皇陛下はもちろん、日本国家、日本国民に対し、無礼千万であります。日本政府はそれを黙認していることになりますね。日本政府が不敬を手助けしていることになる。

では、なぜ姜は「日王と呼ぼう」と言ったのでしょうか。

それには「皇」と「王」の違いという歴史的背景があります。

古代チャイナでは天に任命された者が皇帝となり、その皇帝によってその支配地を治めるよう命じられた者が王です。

例えば、明時代なら、北京の皇帝の下に、安南王（ベトナム）、朝鮮王、琉球王などが存在していたのです。そして明の中では皇帝の下に諸侯がいるわけです。

「皇」は天下にひとりだけであり、まさに天の子、「天子（てんし）」であります。皇帝が認めなければ、王は存在できないのです。

ヨーロッパでは、ローマ教皇と同格の君主を皇帝（エンペラー）とし、ローマ教皇の許しを得て君主となる者を王（キング）としました。神聖ローマ帝国、後のオーストリア帝国、ドイツ帝国、ロシア帝国などの君主は皇帝であり、ローマ教皇と同格です。イギリス、フランス、ベルギー、オランダなどの君主は王（女王）であって、皇帝より格下になります。

明治維新後、国際社会では清朝の皇帝、日本の天皇はエンペラーとされ、朝鮮の国王はキングと訳されました。朝鮮は清朝の属国であり、国王の即位には清朝皇帝の許可が必要であったから当然だよね。

日本は日清戦争の勝利の2年後、朝鮮を清から解放し、なんと朝鮮王国から大韓帝国に格上げして、王も皇帝にして上げたのです。清の属国の朝鮮は日本の勝利のおかげで、属国から解放されただけでなく、日本、ロシア、ドイツなどと並ぶ帝国の地位に登ったんですよね。それだけでも朝鮮民族は日本に永遠に感謝しなければならないね。

現に現在の大韓民国という呼称は、大韓帝国の後身の共和国という意味です。ちなみに北は大韓帝国を認めておらず、朝鮮国の後身としています。

しかし、いまの韓国人たちはかつて自分たちが「王」で、日本が「皇」であった歴史的過去が不愉快でたまらないのです。

そこで、天皇陛下を「日王」などと呼んで、溜飲を下げようとしているんですな。なんとも浅ましい、いじましい精神ではありませんか。

かつて、日本のお陰で国王から皇帝にしてもらい、朝鮮国を大韓帝国に格上げしてもらった韓国。日本から学位を得たにもかかわらず、恩をあだで返す新任大使。この忘恩の国の忘恩の男のアグレマンを取り消し、韓国人に外交の礼儀を教えてやることが日本政府のせめてもの親切ではないかね。

同性婚（令和3年4月）

いやはや驚きましたな。3月に札幌地裁で出された判決です。なんと同性同士の婚姻届けを受理しないのは憲法違反になるというのです。要するに、裁判所が同性婚を認めたということです。

北海道内の男性同士2組、女性同士1組の6人が訴えた内容は、彼ら彼女らが2年前、婚姻届けを自治体に出したのに受理されなかったのは、法の下の平等を定めた憲法に違反するというものでありました。

憲法14条第1項は「すべて国民は、法の下に平等であつて、人種、信条、性別、社会的身分又は門地により、政治的、経済的又は社会的関係において、差別されない」と書かれています。にもかかわらず、男性同士、あるいは女性同士が結婚できないのは性別による差別だというのです。

ところが、同じ憲法の24条第1項には「婚姻は、両性の合意のみに基いて成立し、夫婦が同等の権利を有することを基本として、相互の協力により、維持されなければならない」とあるのです。訴えられた自治体、すなわち国は、この点を重視し、結婚は両性の合意に基づくとある両性とは、男女のことであって、男女の合意によって結婚が行われるのだから、男性同士、女性同士の婚姻届けを受理しないことは憲法違反にはならないし、法の下の平等とは関係ない、と反論しました。

しかし、判決は国の考えを認めず、同性婚を認めたわけです。

この判決はいろいろな意味で驚くべきものです。

まずは憲法で、「両性の合意」に基づくとされる結婚の「両性」、「同等の権利を有する」という「夫婦」の意味を「男性同士」「女性同士」ととってもいいという判断です。

「両」とはふたつ、という意味で、「両者」はふたり、「両校」はふたつの学校、「両国」は二国のことです。「日米両国」とはいいますが、「日日両国」とはいいません。だから、両性とは男と女という意味で、これに異論のある人はいないでしょう。「夫婦」も男女であることは明白です。憲法は「両性の合意」といっているのだから、男女の合意であることは論を俟ちません。男性同士、女性同士は両性ではありません。その男性同士、女性同士が婚姻届けを出したら、憲法違反になるのは当たり前、受理しないのは当然です。受理しないことが、なぜ憲法違反になるのか、お世辞にも論理的とはいえない。もし、これが憲法違反になるなら、憲法内に矛盾があることになってしまう。

もうひとつ、自然法の考え方として、婚姻とは「両性によって子供が作られる環境である」ということがあります。近代国家では、結婚以外の子供の誕生は「私生児」とされ、ノーマルとは考えられていません。逆にいえば、結婚とはこどもを誕生させるための環境の整備であるということです。

もちろん、結婚しなくてもこどもをつくれます。また、結婚してもこどものできない家庭もあります。しかし、結婚はこどもが生まれるノーマルな形態としての必要十分条件なのです。

当たり前ですが、同性婚ではこどもは生まれません。国家であれ、民族であれ、子孫が生まれて継続していくことが大きな使命であることを考えれば、その前提が最初から崩れている同性婚を認めることは自然法の概念に反することになるのです。

以上の考えから、同性婚が認められることは、あってはならないことだと分かります。

さらにいえば、現在は少子化です。昭和24年に269万人だった出生者は、平成28年に97万人と100万人を切り、令和元年は89万人、昨年は87万人にまで落ち込みました。昭和24年の3分の1以下です。ことしは武漢ウイルスの影響もあって、80万人を割り込むのではないかといわれています。

しかし、政府は有効な少子化対策をとっていません。このまま出生者が減り続ければ、日本は将来、国家として、民族として存続できなくなるかもしれません。

若い男女に結婚してもらい、子供をつくってもらい、出生者を増やすことは国家の急務です。こんなときに同性婚ＯＫというのは亡国の判決です。

高校の卒業式で、校長が、「将来、結婚して、こどもをつくって下さい」と挨拶しただけで、セクハラだなどと言われて処分を受け、親が結婚した息子や娘に「孫の顔が見たい」と言っただけで非難されるという、異常な状況になっています。

世の中には同性にしか興味のもてない人もいるでしょう。そういう人々を非難しようとは思いません。彼ら、彼女らは好きにすればいい。国家が邪魔することはない。しかし、それと同性婚を認めることは話が違います。

政府はこどものいる家庭に税制上の優遇をするなどして、少子化対策に本気で取り組まないと、取り返しのつかないことになりかねません。

世襲議員（令和3年5月）

先般、長野選挙区で参議院議員選挙がありました。この選挙は立憲民主党の羽田雄一郎君が武漢コロナで急逝したための補欠選挙でした。当選したのは雄一郎君の実弟、次郎君です。雄一郎君は亡くなったが、参議院の議席も党も名字までも、何も変わらなかった選挙ということになりますね。

ところで、雄一郎君と次郎君の父君は首相を務めた故羽田孜（つとむ）です。彼は自民党で大臣までやったんですが、新生党の結成に参加し、さらに新進党、太陽党、民政党、そして民主党と目まぐるしく所属政党を変えました。変えましたというよりも、作っては壊し、作っては壊しといった方が正確かな。この間、首相もやったね。

この孜の父も衆議院議員でした。武嗣郎（たけしろう）といいます。武嗣郎は新聞記者から政治家になった人で、それはそれでいいけど、引退して息子の孜に世襲させた。そして孜の次は長男の雄一郎、そして雄一郎が亡くなると弟の次郎。

要するに長野県の選挙民は、羽田一族に昭和12年から80年以上にわたって投票してきたことになる。3代4人の世襲です。

鳩山一族はもっとすごいよ。

鳩山和夫が衆議院議員になったのが明治27年。息子の一郎も戦前から衆議院議員。戦後は首相。その息子、威一郎も官僚から参議院議員。その長男が由紀夫。「宇宙人」などといわれるが、私から見ると、何の思想もないただの坊やだね。この男がチャイナへ行ったり、韓国へ行ったりして、妄言を吐きまくり、日本を傷つけ、売国奴ぶりを発揮している。

その弟が邦夫。亡くなったけど、その息子、二郎がちゃっかり衆議院議員になっている。なんと5代にわたって130年近くも世襲を続けているんですね。旧憲法下、世襲であった貴族院でも、50年ちょっとの歴史しかないから、驚きですな。

世襲の定義は難しいが、親子（養子を含む）、祖父母と孫、兄弟姉妹、配偶者、伯父・叔父（伯母・叔母）と甥、姪ということにしましょう。

いまの自民党の国会議員、衆参合わせて487人ですが、このうち4割が世襲なんですよ。

現首相の菅君は違いますが、その前の安倍君、麻生君、鳩山君、福田君、小泉君、羽田君、細川君、宮沢君、みな世襲政治家です。

現内閣の20人の閣僚中、麻生、田村、梶山、小泉、岸、加藤、小此木、河野の8君が世襲です。なかには親子、兄弟で国会議員をやっている家もある。こうなると家業ですな。

自民党だけじゃないですよ。立憲民主党の山花郁夫君は、祖父が社会党の副委員長を務めた秀雄、父が社会党委員長を務め、後に民主党になった貞夫。労働者出身の祖父から3代世襲している家です。

いまや全国会議員の3割が世襲だとされています。

なぜ、そうなるのか。

第1に、前任者と名字が同じで家族だから、思想や政策に大きな隔たりがないと思われて、前任者の支持者が容易に投票してくれるだろうという期待が持てること。そうとは限らないんだけどね。

第2に、前任者が擁していた秘書グループ、後援会などをそのまま引き継ぐことができるから、政策もふくめてスムースな交代が容易であること。というよりも、秘書グループが路頭に迷うことなく、そのまま雇用される可能性が高いから。

第3に、前任者の培ってきた集金、利権などの、あまり表に出したくない部分を、表に出さないままに継承できること。

となれば、世襲する者が利巧かバカかなんて関係ない。とにかく前任者のお陰で、生活してきた人、あるいは甘い汁を吸ってきた人は、とにかくだれでもいいから、世襲してもらって、いまの安定した生活を継続するのが一番、ということになりますよね。要するに世襲は腐敗の継続が容易になるということです。もちろん、腐敗とは縁のない世襲政治家もいるとは思いますが。

こうして世襲政治家がはびこれば、質は当然落ちます。中にはそこそこできる者もいるかもしれないが、全体としては質が落ちるのは必至だね。

世襲議員は若くして当選することが多いから、当選回数も増えます。すると、閣僚に若くから就任しやすくなり、歴任して党の重鎮になっていく。自分の実力ではなく、親や祖父の七光で当選しておきながら、かたや、まじめに勉強して優秀な大学を出て官僚になった者を顎で使う。これが現在の日本の民主主義です。

日本は、政治家はアホでも官僚が優秀だから、まだ何とかもっているのですが、その官僚の成り手が減っているといいます。当たり前だよね。アホな政治家にこき使われるために勉強してきたわけじゃないからね。

となれば、世襲禁止法、あるいは世襲制限法を制定するしかないんですが、法律を決めるのは国会だから絶望的。こうして思想も能力も気概も愛国心もない者どもが永田町に胡坐（あぐら）をかいて、日本は奈落の底に沈んでいく。

チャイナウイルス（令和3年6月）

チャイナ発祥のチャイナウイルス、武漢ウイルス、別名習近平ウイルスが猛威を振るっていますね。大正時代のスペイン風邪以来の感染症爆発だそうです。このパンデミック、国際的な脅威に対して、国際社会は一致団結して当たらねばならないと思いますが、どうも各国、とくにチャイナやロシアは、パンデミックを利用して、どのように国権を拡張するかにあるようで、心もとない限りです。

心もとないといえば、我が国政府の心もとなさも大変なものですね。昨年正月からのチャイナウイルス対策は二転三転、一貫性のなさは目を覆いたくなる。といっても、政府ばかりは責められない。この感染症がどの程度のものなのか、世界全体を見ても、分かっている国なんかなかったんだから。そこは差し引きましょう。しかし、それでもなお、我が国政府の対応はお粗末です。

まず、チャイナウイルスをどう考えるのかという基本ができていなかった。インフルエンザと同じ対応でいいのか、それとも、エボラ出血熱ほどではないにせよ、国家を危殆に瀕させるほどのものなのか、その判断がいまだについていないですね。

もし、前者を選択するなら、非常事態宣言など出さずに、マスクの着用、手洗い、うがいの励行、3密の回避で対処すればいいので、飲食店も映画館も会社も、制限は設けつつも通常に近い営業をすればよかったわけです。当然、補償金など出す必要もないし、出したとしても、それほどの負担にはならなかったはずです。

逆に、国家危殆の可能性があれば、欧米が行ったように、ロックダウンをして、感染を徹底的に封じ込めるしかありません。もちろん休業補償もふくめて多大な財政的社会的負担を覚悟することになります。

でも日本は感染者数に一喜一憂するだけで、どっちつかずでした。したがって、非常事態宣言を出しては引っ込め、出しては引っ込め、とうとうみなさん、非常事態宣言が出ても、マヒしてしまって、人流は減るどころか増えてしまう有様です。どっちつかずの政策というのは、どっちつかずの国民の対応を生むのです。

なぜ、その判断ができなかったのか。それは政治家にリーダーシップがないからです。なぜ、リーダーシップがないのか。それは信念の政治家がいないからです。では、なぜ信念の政治家がいないのか、一つは世襲だらけだから、二つは思想ではなく、利害で議員になっているから、三つは信念を必要としない時代だから、です。なぜ信念が必要とされないのか。信念は対立を生むからです。信念と信念がぶつかれば、対立は深くなります。対立すれば政策は実行されません。政策は妥協によって決定されるわけですが、それを妨げるのが信念です。だから、信念は煙たがられます。

もうひとつ、民主主義社会というのは、少数の意見を尊重するという建前があります。しかし、少数の意見が通るわけではありません。でも少数の意見を聞きます。それが行き過ぎると、少しでも反対があれば、その反対意見を十分に聞き、説得し、妥協して物事を進めて行くことになります。その分、決定は遅くなります。それがさらに進めば、反対があれば物事を決めないという「橋の論理」に行きつきます。かつて美濃部という都知事が打ち出したもので、「反対があればやらない」というわけです。美濃部時代の都政は赤字だけ膨らんで、何も前に進みませんでした。

現在の国会議員は民主主義をそのように理解していて、敵を作らず、ニコニコして、妥協に妥協を重ねるわけです。かくして有効な対策が打てません。

さらに問題なのは、ワクチンの製造を国産でできなかったことです。

日本は医療大国です。医学、医薬、医療のレベルは世界屈指です。しかし、いまに至るも国産ワクチンができていません。チャイナやロシアでさえ、ワクチンと称する物を開発しているのに、なぜ、日本はできないのか。

一つは小泉改革で、基礎研究を軽んじたからです。聖域なき行財政改革と称して、大学への補助金を大幅にカットした結果、大学は企業との提携に走り、収益を上げる研究、すなわち応用に力をいれるようになり、基礎研究をおろそかにしてしまった。二つは民主党時代の事業仕分けです。「なぜ1番じゃだめなんですか」と蓮舫という議員が金切り声をあげ、医療、医薬の先端研究を後回しにしにしてしまった。

企業としても、いつ発生するか分からない、ひょっとしたら発生しないかもしれないパンデミックのために、大金を投入して基礎研究をする意欲をなくしました。ところが、パンデミックが起こった。ワクチンを作りたいが、基礎研究ができていないから応用も効かない。結局、政府がアメリカやイギリスの製薬会社に頭を下げて買わせていただく、という仕儀に相成った。当然、輸入には時間がかかる。そして接種のシステムをどうするかの知恵を出すこともできず、すべては市区町村に丸投げ。こうして国民は愚かな政府に殺されていくのです。

政党政治（令和3年7月）

「五月十五日には海軍士官を中心とする軍人が首相官邸に乱入して犬養首相を射殺した。元老西園寺公望は、海軍大将斎藤実を首相におして、斎藤内閣が成立し、政党内閣は終わりを告げた」。

昭和7年の五一五事件に関する高校日本史の教科書の記述です。そして授業では、この事件を契機に、政党政治という民主主義的な体制が崩壊して、日本は以後、軍国主義国家となり、戦争への道を突き進む、と教えます。

確かに日本はその後、戦争への道を突き進んだけれど、政党政治は戦争を阻止し得るほど民主主義的な素晴らしいものだったんだろうか。

いや、それ以前に政党政治は、日本のためにどれだけ役に立ったのだろうか、また、いまも役に立っているのだろうか。

五一五事件で殺されたのは犬養毅という政党政治家です。私は個人的には犬養が好きです。彼には剛毅な一面があり、憂国の情も人一倍ありました。しかし、政党人としての限界もありました。

昭和5年、ロンドン海軍軍縮条約が結ばれました。締結をしたのは浜口雄幸内閣です。浜口内閣は立憲民政党の内閣です。同条約は海軍の補助艦の保有数を決めるためのものでしたが、これに噛みついたのが対立党の政友会です。急先鋒は戦後に首相となる鳩山一郎と犬養でした。犬養は議会で、「ロンドン海軍軍縮条約は統帥権の干犯だ」と鋭く攻撃しました。大日本帝国憲法第12条には「天皇ハ陸海軍ノ編成及ビ常備兵額ヲ定ム」とあり、ロンドン条約は12条の天皇の大権を犯している、と反対したのです。こりゃ、いってみれば、海軍に味方してるわけで、なんで五一五事件で、海軍に殺されるんだか、訳が分からんのですが、犬養を殺した海軍中尉、三上卓らは公判で、「犬養への個人的な恨みはない」とはっきり言っています。ではなぜかというと、「政治家、財閥、軍閥の排除が目的であった」としています。

要するに、犬養は政党人として犠牲になったわけです。

ちなみに鳩山が戦後、ＧＨＱに戦犯指名された理由は、この統帥権干犯発言です。

では、そのころの政党は何をしていたのでしょうか。

犬養の前は第二次若槻礼次郎内閣。憲政会です。満洲事変が勃発したけど、拡大を防げない。幣原喜重郎外相の軟弱外交で、国民は激怒、井上準之助蔵相の緊縮財政で失業者は増大、おまけに安達謙三内相の離反で、8カ月で内閣は辞職です。

その前の浜口内閣は、首相がロンドン条約反対者の凶弾に倒れで辞職、その前は政友会の田中義一ですが、彼は長州閥の陸軍大将。満洲某重大事件の処理で昭和天皇の御不興をかい、辞職。その前は加藤高明だけど、彼は三菱出身、その前は清浦圭吾で政党とは縁もゆかりもない貴族院議員。

つまり、政党政治はほとんど機能してないし、やっていることは政友会と憲政会（民政党）の足の引っ張り合い。それも日本のためではなく、党の利益のため。なにしろ、政権が政友会か民政党かで、いまのアメリカみたいに、官僚も大幅入れ替え、村の駐在さんまで変わったといわれたほど、権力構造が変化したから、彼らは必死ですね。選挙違反なんて当たり前。政友会が政権を取っていれば、政友会系の警察官僚が部下にはっぱをかけて民政党系の候補者を摘発させるなんてことは日常茶飯事でした。

多くの国民はこの二大政党にうんざりしていました。国民だけではありません。軍部もです。

この間までの日本と同じで毎年、政権が変わる。そしてどの政権も脆く弱く、とても外交なんかできない。財政政策は毎回変わる。金輸出禁止をしたと思ったら、金解禁、また輸出再禁止というわけで猫の目。農業政策もしかり。これじゃ国民も産業界もたまったものではない。はっきりいって、平成の政党政治よりひどかった。国民が愛想をつかすのもむりないね。というわけで、五一五事件となり、政党政治は崩壊したんですよ。

五一五事件で政党政治が崩壊したにもかかわらず、政党はそれでも足の引っ張り合いを演じました。それは昭和15年の大政翼賛会の結成まで続いたんです。

五一五事件が海軍による政党政治を終わらせた悪しき事件のように教科書には書かれるけど、政党は潰れるべくして潰れたのです。まさに自業自得です。

もっというと、明治から昭和の初期にかけて政党は確かに存在したけど、政党政治というほどの政治はやっていない。やったのは足の引っ張り合いだけ。

翻って、いまの日本はどうでしょう。この国にまともな政党がありますか。現今の急務はチャイナウイルス対策だけど、政党は何か国民のためになることをしてくれているんかい。チャイナ非難決議ひとつできない、日本の政党なんて要らないんじゃないかな。民主主義には政党政治が必要なんていう幻を追いかけるのはいい加減やめたらいい。

オリンピック（令和3年8月）

日本の国はここまで劣化したのか、と実感させてくれたのが、今回のオリンピックの開会式ですね。とくにひどかったのは、天皇陛下がお言葉を述べられているのに、座ったままだった菅首相と小池都知事。これには開いた口がふさがりませんでした。

昭和39年の東京オリンピックは、10月10日に開催されました。私は中学生でした。この日は土曜日。開会式は午後からで、学校から帰って来ると、白黒テレビの前に座って、食い入るように見つめました。

入場行進も整然として、選手の足並みはそろい、ＩＯＣのブランデージ会長が天皇陛下に日本語で開会宣言をお願いし、陛下がお立ちになると、おもむろに開会を宣言されたのでした。そして晴天の中、君が代が流れました。

私は大東亜戦争を経験していませんが、国土が焦土となったあの日からわずか19年で、世界が集うオリンピックを開催でき、アメリカ人のＩＯＣ会長が日本語で天皇陛下に開会宣言をお願いし、それを陛下が聞こし召されるという、何とも美しく清らかで、しかも日本人にとっても光輝く瞬間でした。大東亜戦争を終結された陛下であればこそ、われわれ日本人の感慨も一入でした。

この大会で、日本はそれまでで最高の16個の金メダルを獲得し、日本の復興を世界にアピールしましたし、組織力と人間性の豊かさを発信できたのです。

ところが、今回の開会式はなんだい？

まずは日程ですよ。

57年前は10月10日が開会式。どの競技でも選手からは、環境の素晴らしさに感嘆の声があがったと聞いたけど、毎年猛暑となるこの時期に、なぜ開催することにしたのか。聞けばアメリカの放送局との契約で、7、8月開催が最も放送権料を取れるからだとか。

それを聞いたときはまさかと思ったけど、他に説明がないから、そうなんだろう。となると政府やJOCはより高い放送権料を得るために、選手の健康を犠牲にしてもいい、と考えたということになるよね。選手だけじゃない、スタッフだって、観客だって、殺人的な猛暑の中で、試合をし、観戦するということ。いったいどれだけの人が熱中症になるのか、下手をすれば死者が出るんじゃないか。

そしたら、チャイナコロナで1年延期になって、どうせ延期するなら、10月まで延期すればいい、と思ったのに、やはり7、8月開催。じゃあ、それまでにワクチンを打って、集団免疫ができているのかと思ったら、そうじゃない。

医療関係者へは2月から、65歳以上は7月までに打ち終えるという方針となりました。

わたしゃ驚いたね。なぜ、チャイナコロナで延期になったかといえば、感染が怖いからでしょ。だったら、集団免疫ができるまで大会は延期すべきじゃないの。しかし、放送権料に眼がくらんでいる政府とJOCはあくまで7月開催。そしてとうとう無観客。選手の健康も、国民の安全も、観客の思いもそっちのけ、放送権料の方が大事ってこと？

9月末までに集団免疫をつくって、10月10日に開催すればすべての問題が解決されるのにね。すでに海外のテニス選手などからは、「この高温多湿で体が動かない。最悪のコンディション」との声があがっている。

緊急事態宣言は続いていて、医療、とくに救急患者は急増、医療ひっ迫だというのに、オリンピックに多くの医者や看護師を割かねばならない。やっていることは支離滅裂。

そしてあの開会式です。橋本なんとかという大臣が6分間も話して、みながうんざりしていたら、バッハというIOCの委員長が13分も話した。中身は誰も聞いていなかったから、大した話じゃないんだろ。夜ではあったが、暑いさなか、陛下は上着を召されて微動だにされない。菅はきょろきょろ。菅も小池もバッハの話を聞いていないから、彼が話し終わっても、陛下が立たれても気が付かない。そして陛下がお言葉を述べられ始めて、ようやく小池が、お言葉が始まっていることに気づいて立ち、菅がそれを見て慌てて立ったわけです。

こんな無様な様子がテレビを通じて世界中に流されました。日本人としてこれ以上恥ずかしいことはない。その辺の観客ではない、首相と都知事ですよ。二人はただちに皇居に参内して、無礼を詫び辞表を提出、無期限謹慎生活に入るべきですね。

選手の入場行進もだらだらだらだら、パフォーマンスも、何をやっているのかよく分からない。これが57年前にあの素晴らしいオリンピックを成功させた国と同じ国なのか、と悲しくなったね。

この文を書いている7月末現在、オリンピックはまだ開催中。すでに選手やスタッフから、多くの感染者が出ている。まだ死者は出ていないけど、期間中、死者や重症者を出さずに無事に終了してほしいと願うばかりです。

LGBT（令和3年9月）

みなさん、ご存じと思いますが、Lとはレズビアン、女性の同性愛者です。Gはゲイ、同様に男性の同性愛者です。Bはバイセクシャルで、どちらもOKの人です。最後のTはトランスジェンダー。身体の性と心の性が一致しない人です。

それぞれ微妙に違うので、私個人としては、この4つをひとくくりにしていいのかという疑問があります。

このうちLとGは明らかに生産性がありません。子孫を残すことは不可能です。Bは可能でしょう。Tも可能なような気がします。

問題は昨年、自民党の杉田水脈（みお）衆議院議員が、性的マイノリティー（LGBT）について、「彼、彼女らは子を産まない。生産性が低い人々に税金を投入することはどうなのか」と発言したことに尽きます。彼女はこの発言で、袋叩きにあいましたが、彼女は何か間違ったことを言ったのかね。LとGについては明らかに「生産性がない」し、BとTは「生産性が低くなる可能性がある」わけで、しごく尤もだと思いますがね。こどもを作ることを「生産」と言ったことが不適切だという人もいるけど、非難するほどの話ではないよね。

動物であれ、植物であれ、この世のあらゆる生物は、細菌もウイルスもふくめて、生存して子孫を残し、繁栄することを本能としていますよね。

鼻の長い動物も、首の長い動物も、足の速い動物も、固い甲羅をもった動物も、緑色の昆虫も、木肌と同じ色の昆虫も、雪の中で真っ白になる雷鳥も……。数え上げたらキリがない。チャイナウイルスすら、どんどん変異して生き残りと繁殖（繁栄）を試みているわけですな。これには例外がないのですよ。

みな、自分たちがどうすれば生き残れるか、子孫を絶やさずに、かつ繁栄できるかを考えて、変化（進化）してきたわけです。

ところが、LGBT、とくにLとGは子孫を残すことも繁栄することも完全に拒否している。自分たちだけが満足であれば、それでいいという価値観でしょう。

確かに人間は他の動植物とは違い、自我があり、種ではなく個で生きています。しかし、自我を持ち、個で生きていても、子孫を残す本能は消えません。そりゃそうでしょう。子孫を残す本能が消えたら、人類は絶滅してしまうもんね。彼、彼女らはそれでもいいと思っているかも知れないが、人類全体としてはそうはいかない。人類としても、日本人としても絶滅はいけません。これは自明です。絶滅も可、ということであれば、我々がいま、生きていること自体が無意味になってしまうからね。

問題はここからなんです。私はこういう人たち、とくにLとGは不愉快ですが、彼、彼女らから人権を奪えなんて言っていません。人類から見れば異常な困った人々だと思いますが、問題は、彼、彼女らを尊重せよとか、特別に扱え、などという人権派（？）がいて、それを声高に叫び、そうしないとまるで反人権主義者みたいに言われることです。ですから、問題は彼、彼女らにあるのではなく、彼、彼女らの権利を声高に叫ぶ人々にこそあるのです。

そして、それに対して、行政もふくめて社会一般が温かく見守らねばならないとする風潮です。私のように、LやGに不愉快を感ずることは許されないとする、人権に名を借りた反人権の思想であり、風潮です。

はっきり言って、これは異常です。何が異常かというと、言論の自由や表現の自由を侵しているからです。では、どうしたらいいのか。彼、彼女らをほっとおくことです。

世の中にはさまざまな人がいます。ＬＧＢＴもそういう人の一部でしょう。だからといって、彼、彼女らを罪に問うたりすることは許されません。が、しかし、逆にそれを手厚く保護することも問題です。

生まれてきた人はなぜ教育を受け、教育年限が終われば働くのか。働いて自分の生活を維持するためですが、その働きの中から税金を払い、社会全体のために使用するためでもあるのです。この税金は働きたくても働けない人にも使われます。

納税者すなわち働く人が減少すれば、社会は縮小再生産に向かいますから、萎縮するよね。だから人口の維持は必要なのです。民族の継続と社会を維持するためには子孫を絶やさないということは絶対命題です。

彼、彼女らも、カミングアウトして、権利を主張したりせず、勝手にふたりで楽しんでいればいい。配偶者としての権利とか、相続などは、ケースバイケースで司法の判断を求めたらいい。

がんばっても子孫を残せない人もいます。その気のない夫婦もいます。しかし、最初からその可能性を拒否している人々に税金を投入したり、格別の便宜を図るというのは、納税者を馬鹿にした行為です。だから杉田発言は正しいのです。

20世紀最大の哲学者、カール・R・ポパーの言い方をまねれば、「21世紀前半において反人権派は人権派の仮面をかぶって現れる」です。

自民党（令和3年10月）

岸田文雄君が自民党の総裁に選出されて、第１００代の首相になりましたね。ご同慶の至りと言いたいところだけど、私は自民党は大っ嫌いだ。

この党は昭和30年に、いわゆる保守合同で誕生した政党で、日本の全保守を糾合した、いわば何でもありの政党ではありますが、当初は敗戦からの復興と経済成長が第一で、それ以外のことは二の次、三の次という考えだったけど、それがそもそもの間違いだね。

経済を復興させ、国民の生活を安定させ、さらには豊かさを追求するというのは、当然だとしても、それだけに集中して防衛、教育、外交、さらには精神的な面を置き去りにしてしまったよね。

こうした自民党の経済最優先の政策に対して、本来なら野党が防衛、教育、外交、さらには国民の精神的面はどうなっているのか、と糺さなくてはならなかったんですが、日本の野党は、これまた昭和30年に左右が合体した社会党という社会主義を党是とする、摩訶不思議な政党で、防衛に関しては、非武装中立という、世界史上初の夢物語を鼓吹し、教育に関しては平和教育の名のもとに、一切の軍事的、精神的なものを排除した、空想的な教育を掲げ、外交に至っては、ソ連、中共を平和国家と盲信して、反米を党是とし、さらには国民の精神的な資質を否定するという野蛮な形而下主義に凝り固まってしまった。

こんな政党が野党第1党なんだから、自民党としては楽で仕方がない。どんな政策をやろうと、浮世離れした社会党に投票する人は増えず、多くは、社会党はおかしいけど、自民党は嫌いだから、という理由で社会党に投票する。要するに、自民党への批判票が社会党に回っただけで、本当の社会党支持票なんてのはごく少数だったんだね。

ところが、社会党さんは、そこに理解がいかなくて、自分たちの政策（政策と呼べるほどのものはなかったけど）が支持されていると勘違いして、大きな顔をしていた。しかし、社会党に投票する人の多くは、社会党に政権をとってほしいと思っていたわけではなかったんですね。

自分たちに政権運営能力がないことを自覚していていたから、非武装中立のような痴呆政策を発表して、非難されてもどこ吹く風、無責任でいられたわけですな。だからこそ、自民党は安閑と胡坐をかいていられたんでしょ。

その結果、どうなったか。国民は平和ボケといわれるほど防衛問題に関心がなく、教育は一部の優秀なこどもがお受験で頑張るだけで、自国への理解も教養もほとんどなく、ゲバ棒を振り回すアホどもを量産してしまった。

外交に関しては対米追従だから、安保条約至上主義で、自分の国に外国の軍隊が駐留して、でかい顔をしていても気づかぬ振り。米兵が日本人に悪さをしても、日本の法律で処罰できないといった不条理もほったらかし。どの国とどう付き合うかはアメリカの言いなりで、国連での決議は、ほぼアメリカと同一歩調。

つまりは防衛、外交における日本の主権を放棄してしまったのですな。

そして靖国問題が起こりました。首相が靖国神社に参拝すると、戦争賛美だとか、侵略戦争を反省していないとか、論理性がまったくない支離滅裂な言いがかりをつけられ、それに屈したのです。

拉致問題もそうです。北朝鮮が多くの日本人を拉致し、いまだに解決していません。横田めぐみさんの母親の早紀江さんは、「拉致問題を解決できないことは日本の恥」とおっしゃっていますが、自民党は口先だけ。何もしていません。というか、何をしたらいいのかも分からないのです。

チャイナや韓国への甘やかしもそうです。「適当に謝っておけばそのうち収まるだろう」という誤った認識で、シナ事変や慰安婦問題に対処したため、言質をとられ、相手はますます居丈高になっています。もはや収拾がつきません。

河野談話などというまったく根拠のない国辱行為をしたのも自民党の官房長官で、この男は後に党の総裁になりました。

私に言わせれば、自民党は反日政党と言われても仕方のないことをたくさんしてきました。これが日本の最大の保守党で政権党なのです。

ではどうしたらいいんでしょうね。それは保守党の野党を創ることです。日本維新の会がありますが、維新のような政党をより強力にして、自民党と政権を争うような存在にすることです。

チャイナや韓国に毅然と対処しなければ政権を失う、拉致問題を解決できなければ政権を失う、日本の安全保障に本気で取り組まなければ政権を奪われる、そのぐらいの緊張感を保守2党が持つようにならなければ、日本はまともな国家に再生していきません。

かつての社会党、いまの立民党という現実離れの政党が野党第1党であり続ける限り、自民党は信念も緊張感もないあやふやな政党して惰眠をむさぼり続けることになるのでしょうな。

総選挙（令和3年11月）

日本人は優秀ですね。絶妙のバランス感覚、天意を思わせる判断、私は今回の総選挙ほど、日本人であることを誇りに思った選挙はありません。

私の当初の予想は、自民は過半数丁度くらい、立民は微増、維新は30前後、あとは横ばい、というものでした。つまり、自民が減った分のうち、立民に3分の1、維新に3分の2が行く、というものでした。

コロナ対策をふくめて安倍・菅政権への評価という意味では、自民に決していい点を与えられない、しかし、立民に政権を任せることはできない。というわけで、私は、自民批判の票の多くが維新に、残りが立民に行く、と考えたわけです。

ところが結果は、自民は276議席から16議席（5・8％）減の261議席なのに対し、立民は110議席から14議席（12・7％）減の96議席です。立民惨敗。どうしてこうなっちゃったんだろうね。

支持政党率というものがありますね。どの政党を支持するかとうあれです。しかし、あまり知られていませんが、不支持政党率というのもあります。この党だけは嫌だ、という意思表明です。不支持政党のナンバー1は共産党です。2番目は公明党。つまり、自民は嫌いだけど、共産だけは嫌だ、という人がかなり多いのです。そういう人の多くはこれまで立民系に投票してきたと考えられるよね。ところが、今回の立民は共産と共闘を組んじゃったんです。立民の支持母体の連合の女性会長は、不快感を示し、「私たちの票の行く先がない」とおっしゃった。そう言われたのに、枝野クンは共闘路線を変えなかった。

実際の選挙では、立民の候補者の応援に共産の志位クンが駆けつけるわけです。それを見た自民嫌い、共産怖い、の選挙民は維新とか国民とかに入れるしかなくなっちゃったんです。共産党は、自分たちが単独で政権をとることは難しいと分かっています。だから野党第1党に寄生して、連合政権をつくり、やがてはエイリアンよろしく立民の殻を食い破って、共産政権を打ち立てようと考えているわけ。そんなこと、世界の共産主義の歴史を見ればすぐに分かる。

では、共産政権とは何か。かの党綱領によると、共産党は共産主義政党です。ま、当たり前か。そしてマルクスレーニン主義政党でもあります。これも当たり前か。ということは原則として私有財産は認めないし、共産党に反対する自由も認めないということです。これを「プロレタリア独裁」といいます。でも、「独裁」って聞こえが悪いと思ったんだろうね、共産党は「民主集中制」と言い換えているけど、党中央に意思決定が集中されているという意味で、党中央に反対することは許されないのです。やはり独裁だ。

世界中の共産主義国家で、自由や民主主義をやっている国はありません。自由も民主主義もなく、経済は停滞、いや衰退し、人命は軽く、投獄、処刑の恐怖が国民を覆っている社会、それが共産主義社会、マルクスレーニン主義国家です。

多くの日本人はそれを知っています。だから、自分が支持する立民の候補者の応援に志位クンが来たらみんな引いちゃうよね。

今回の投票でも、共産支持者の多くは立民に投票したそうだけど、立民支持者は共産と共闘した候補にはあまり投票しなかったんだってさ。

じゃあ、なんで立民は共産と共闘したんだろうか。それは立民の指導者に多くのマルクスレーニン主義者がいるからではないかな。彼らは旧社会党のメンバーでマルクスレーニン主義者だが、それを表に出したら当選しないから、立民に寄生しているんだろうね。

責任取って枝野クンは辞めたけど、「力不足だった」はないよ。「頭不足」の間違いだろ。でも辞めるだけいい。志位クンは辞めない。あの党は選挙で党首を選んだことはない。だって民主集中制だからね。

さて、結果はともかく、中身はどうだい。薄っぺらのコンコンチキではないかいな。北朝鮮は9月に4回、10月に1回、ミサイルを撃っている。10月末には、シナ・ロシア艦隊がそろって日本海から津軽海峡を通って、大隅半島の南を通って東シナ海に抜けている。この間、チャイナの公船は連日、尖閣の領海を侵犯している。拉致問題は解決されず、韓国は慰安婦と徴用工で、嘘八百の茶番劇。憲法改正は置き去り。

そんな中で行われた総選挙、一体、どの候補者が安全保障、領土問題、拉致問題、歴史問題、憲法問題を選挙で訴えたのかね。私の知る限りゼロ。じゃあ、何を訴えたか、コロナの撲滅といくらばらまくかという話ばかり。コロナ撲滅なんて争点でもなんでもない。バラマキをやれば有権者は票を入れると思っているのかね。有権者は乞食じゃない。選挙結果は絶妙だったが、政治家たちには、日本と日本人を守るという意思はないのかね。

もう一つ、小選挙区で落選しても、比例で復活って、あれ何? ゾンビじゃあるまいし、あれほど選挙民を愚弄した制度はない。日本の政治家にはもううんざりだ。

特定失踪者（令和3年12月）

世の中でどんなことが起ころうとも、政府は自国民を守り、保護する責任があります。国際的にもです。パスポートにも、「日本国民である本旅券の所持人を通路故障なく旅行させ、かつ、同人に必要な保護扶助を与えられるよう、関係の諸官に要請する」と外務大臣名で書かれています。

でもこれは名ばかり、日本政府は日本国民を守る意思を持っているとは到底思えないね。10月末に総選挙があって、第二次岸田内閣が発足したけど、拉致担当大臣は置かなくて、第一次同様、官房長官の兼務だ。このことに拉致被害者の横田めぐみさんの母、早紀江さんは、「被害者救済を本気で考えているのですか」と疑問を投げかけていたけど、ホントにそうですね。

早紀江さんは、安倍クンのときも、菅クンのときも、岸田クンにも丁寧にお話しされるけど、心の中では憤怒が煮えたぎっていると思いますよ。

「拉致問題は最重要課題、私の内閣で必ず解決する」と彼らは判で押したように言ってきたけど口先だけ。そう言うと、実は公にはできないが、水面下でいろいろやっているんです、という言い訳が聞こえてきそうですが、私は断言します。官邸も外務省も何もしていません。ではどうしているのか。首相が金正恩と無条件で会う、とアナウンスしているだけです。

口先だけの無責任自民党内閣には、私はうんざりしているんですが、そしたら、もっとアホがいたね。立憲民主党と称している政党の生方幸夫という千葉6区選出の衆議院議員が、こともあろうに、めぐみさんの名前まで出して、何の根拠も示さず、「拉致被害者がまだ生きていると思っている人はいない」と発言したんだね。これには拉致被害者家族の会は激怒、総選挙が近いということもあってか、立民党は平謝りしたけど、この党が拉致問題を他人事としてしか見ていないことがはっきりしたね。

生方なにがしは読売新聞の出身だそうだけど、ジャーナリストの風上にも置けないやつだね。党の公認も外され、落選したけど、地べたに頭をこすりつけてよく反省するんだな。

しかし、自民党だって、他人事だと思っている奴は多いんじゃないかな。彼らの取り組みを見ていると真剣さが微塵も感じられない。票にならないことはやらないわけだ。国民の人権、国家の威信、主権の侵害はどうでもいいということのようだ。

めぐみさんが拉致されて、ことしは44年、救出、再会を果たせぬまま、父親の滋さんは昨年87歳で亡くなったけど、安倍、菅、岸田君らはどのツラ下げて、滋さんの霊に向き合うのかね。

私は昭和54年6月、産経新聞仙台総局から新潟支局に転勤し、その5か月後の11月にめぐみさん失踪2年ということで、記事を書いた覚えがある。当時、滋さんは日銀新潟支店に勤めていました。

中学1年の可愛い女の子が海岸沿いの中学校から夕方、下校途中に行方不明になり、杳（よう）として行方が知れないのだから、海岸の松林あたりで乱暴され、殺害され、埋められている可能性が高い、と警察も新聞も考えた。県警は必至の捜索をしたけど、松林をいくら掘っても何も出てきませんでした。

後に産経新聞のスクープで、北朝鮮による拉致と判明したけど、当時は雲をつかむような摩訶不思議な事件だった。しかし、めぐみさんをふくむ多くの日本人が北朝鮮に拉致されたことが明らかになり、小泉純一郎首相が平成14年と16年に訪朝して、拉致被害者5人を帰国させることに成功したよね。

だが、その後はどうなったのかね。北はめぐみさんら数人に関して「死亡した」と繰り返すのみ。ご丁寧に偽物の遺骨まで送ってきたけど、彼らは遺骨の鑑定という科学を知らなかったらしい。嘘はすぐにばれてしまったよね。

ということは、被害者たちは死亡していない、ということですよ。ですから、政府は口先だけじゃなくて、全力で奪還を考えなくてはいけない。

日本には北朝鮮に籍を置く在日が最低7万人いると推定されています。朝鮮総連は拉致事件に関与したことが公安当局によって確認されているんだから、政府は彼らの存在を利用して拉致問題に取り組むべきでしょうね。

競売にかけられた朝鮮総連本部も、政府の無能のせいで、いまだにそのまま使われているし、この国の政府は朝鮮総連の手先かといい言いたくなるよ。

1970年代にはレバノン人女性が工作員によって北朝鮮に拉致される事件があったけど、レバノン政府は「武力攻撃も辞さない」と強硬に抗議し、彼女らを取り戻している。

政府は特定失踪者などと意味不明な言葉を使っているけど、北朝鮮による拉致被害者です。

レバノン政府の爪の垢でも煎じて、被害者を取り戻す努力をしなさい。

北京五輪（令和4年1月）

政府の中途半端な、というか、腰砕けの、というか、煮え切らない、軟弱な対応は何だい？北京で開催される冬季五輪の政府関係者派遣の話ですよ。アメリカが北京五輪に対して、政府代表団を派遣しない「外交ボイコット」を早々に決めると、イギリス、カナダ、オーストラリア、ニュージーランドも同調した。ところが日本政府は、決定を先送り。それを非難されると、「タイミングの問題」などと逃げたね。だけどタイミングって何だい？

北京に首都を置くチャイナ政府は、同国を構成する56民族のうち漢民族以外の55民族に迫害を加えてきましたね。しかし、それが山岳地帯や辺境に居住し、かつ少数であれば、北京語と共産党礼賛の強要程度で済んでいたのに、数的にも多く、宗教的にも濃厚な民族となると、徹底的な弾圧で臨んできた。

といって少数民族が弾圧されなかったわけではないよ。平地に住む少数民族は同化の対象にされて、いまや言語的にも文化的にも滅亡に瀕している。例えば、黒竜江省のオロチョン族、ホジュン族、甘粛省のボウナン族、ユグル族などは民族としてのアイデンティティーを失いつつある。共産党は「少数民族を大事にしています」とアピールするために民族衣装を着せて全人代に参加させているけど、文化も言語も失われているといわれる。まして数的に多く、宗教性の強い民族への弾圧はすさまじい。

チベットはチベット自治区を中心に約680万人が暮らしているといわれるが、共産党はチベット仏教を否定、多くのチベット僧が焼身自殺を遂げて抗議したにも関わらず、弾圧をやめず、1959年に発生した独立宣言をふくむ大規模な抗議行動には軍隊を派遣してチベット殲滅作戦を展開した。この結果、ダライ・ラマ14世は亡命を余儀なくされ、チベットは共産党の圧政下におかれたままだ。そして漢族がどんどん自治区に入り込んできて、自治区の主導権を握っている。なんのことはない、自治区とは名ばかり、漢族が支配しているんですね。

そして、今回問題になっているのが新疆ウイグル自治区です。

現在、中華人民共和国と称している地区に居住しているウイグル族は約1000万人、ウイグル族以外もふくめると、ムスリムは2000万人を超えるという。しかも新疆ウイグル自治区は約960万平方メートル、日本の25倍の広さです。

これが共産党にとって脅威なんだそうだ。しかし、歴史をよく見てみると、共産党のウイグル弾圧は1990年ごろまではあまり表面化しなかったね。むしろ新疆ウイグル自治区の隣の南モンゴルでの弾圧の方がすさまじかった。これはおそらく、当時のソ連と同一歩調をとっていたモンゴル人民共和国（北モンゴル）と同じ民族である南モンゴルの人々がチャイナ共産党に反旗を翻すことを恐れていたからだろうね。

ところがソ連が崩壊して、中東の紛争が激化し、アフガニスタンやイラン、イラク、シリアなどで過激なムスリムが登場すると、一転、ウイグル弾圧に力を入れ始めたというわけですな。ウイグル人が過激イスラムと手を組まれたら困ると考えたのでしょう。

海外に家族や知り合いがいる者はまず隔離。次いで子供たちには洗脳教育。「中国共産党があるから私たちは幸せ」とかなんとかいう言葉を叫ばせ、言語も北京語以外を教えない。もちろん礼拝やラマダンなどのイスラム行事は禁止。ひげも剃れ、ベールも被るな、ブタを食え、という徹底ぶりです。抵抗する大人は男女を問わず、収容所に収容。共産党に従わない者には拷問と処刑が待っている。女性はレイプや避妊手術。

どうですか。凄まじいでしょう。いま収容所に入れられている人は100万人を超えるといいます。

では、共産党が恐れたイスラム諸国はどうした？　こうした同じムスリムのウイグル弾圧に声をあげたか？　答えはノーです。なぜなら、チャイナ政府は一帯一路とか称して、パキスタンにもアフガニスタンのタリバンにも、イラン、イラク、シリアにも金をばらまいているからです。具体的にはそれらの国に投資をし、産品を大規模に輸入し、関税を引き下げて経済的に手なずけているからです。だから同朋のムスリムが弾圧されているのを知りながら、声を上げるどころか、むしろ、チャイナ政府の擁護に回っている。

まさに共産主義の面目躍如です。自分の言うことを聞かなければ、罪なき人でも処刑する、というのがレーニン以来の共産主義の本質です。

なのに、岸田政権は「タイミング」だってさ。ようやく北京に派遣する人選を発表したけど、「外交ボイコット」という言葉は使わず、東京オリ・パラ大会の橋本聖子組織委員長、JOCの山下泰裕会長が出席するんだと。橋本委員長は国会議員だから、半分は公人だ。「こんなところもチャイナに配慮してますよ」という臭いがプンプン。人権弾圧への抗議声明もしない、非難決議もしない、こんな情けない政府はもうたくさんだ。

4月入学（令和4年2月）

1、2、3月は受験の季節ですね。中学入試が1月から2月にかけて、高校入試はおおむね2月、大学入試は共通テストもふくめて1月から3月まで間断なく行われます。振り返ってみれば懐かしいような、ほろ苦いような、何ともいわれぬ感情がよみがえります。

受験の季節になると、決まって言われるのは「風邪をひかないように」「体調万全で」です。これまで懸命に勉強してきたのに、風邪をひいたら、実力を発揮できない、泣くに泣けないというわけです。受験は場合によっては一生を左右するかもしれない大イベントだからね。

今年はチャイナウイルス、とりわけ、感染力が強いオミクロン株の蔓延で、感染したり、濃厚接触者になったりしたら大変だから、家族も周囲も例年以上に気を遣うよね。コロナがなくても、この時期、インフルエンザの全盛期だから、当然ですよね。

インフルエンザやコロナばかりじゃありませんよ。この季節、北海道、東北、日本海側は大雪です。中学入試、高校受験なら、おおむね同じ都道府県内の仲間がライバルだから、まだしも公平といえるけど、共通テストともなると、全国一律だから、好天の関東と豪雪の北陸では環境が違いすぎるよね。豪雪地帯での受験はかなりのハンディではないかな。

毎年、豪雪のために交通機関が乱れ、受験生が試験会場に遅れたり、極端な場合、間に合わなかったり、そのために追試になったり、というニュースが流れる。にもかかわらず、この国は大正時代以来、ずっとこの季節に受験生に受験を強いているんですね。なんでこんなことになっているんだろう。

それは学校の学年を国家や自治体の会計年度に合わせたためなんです。確かに、教育予算を作成する以上、学年が会計年度と同じ方がやりやすいよ。それはよく分かる。4月に入学式、新学年を迎えて、3月に終業式、卒業となるのは、就職などの面からも分かりやすいよね。でも日本はむかしから4月入学だったわけではなかった。いつからかというと、大正9年からなんです。それまでは多くの学校が9月入学だったんです。それを4月入学にして、2、3月入試にしたのは、前にも言った通り、会計年度に合わせたためなんだ。

じゃあ、何故、それ以前は9月が新学年だったかというと、まずは夏休みを挟めるというメリットがあった。夏休みは長いですよね。通常は1か月以上あります。東京では6月末に終業式、卒業式だったから、7、8月はお休み。進級する者はその間に新学年への用意をし、卒業した者は次の学校なり、職場への準備をすることができます。引っ越しする人もいるだろうしね。2か月の猶予というのは、学生、生徒にとってとても貴重なものだったのです。それと、欧米が基本的に9月入学だったから、明治初期にお雇い外国人らから、9月入学を薦められたのかもしれないね。

中村草田男の有名な俳句に「六月の氷菓一盞の別れかな」というがありますが、これは6月の卒業式の後の慌ただしい別れを詠んだものです。それを知らないと、句の意味が分かりません。

9月入学なら入試は5月末から6月にかけてです。そして合格発表は6月下旬。では、9月新学年だと何がいいのでしょうか。

生徒たちはインフルエンザや風邪の心配はまずしないで、勉強に打ち込める。次に地方による季節的な不平等がない。いくら豪雪地帯でも5月や6月に雪は降らない。台風は来るけど、多くは7月以降。あとは梅雨があるけど、梅雨も6月末から。と考えると、5、6月は陽気もいいし、入試にはもってこいですよ。豪雪の中を、カイロを抱いて、オーバーにマフラーに手袋に、と防寒対策をして試験会場にいくなんてことをしなくても済むんですよ。まして インフルエンザはない。

要するに政府のお役人が、受験生のことなんか考えずに、会計年度に合わせた方がやりやすいという自分たちの都合で、せっかくの9月入学を4月にしてしまったわけですな。

そういうと、4月入学のままで、秋に入試をやったらどうか、という意見が出る。2、3月入試よりはましだけど、合格発表から入学まで半年あるから、この間、生徒らは遊んじゃうんだよね。若い頭のうちに半年間、勉強しないのはもったいない。現に推薦入試とかで、秋に合格が決まると、みんな勉強しないね。だから、やっぱり5、6月入試、9月入学です。こういう事情をまったく考えずに政府・文部科学省は100年間2、3月入試を続けている。受験生の都合は考えないというわけだ。

最近は全国知事会もネットで頻繁に開催されているようだけど、豪雪地帯の受験生を抱える知事さんよ、自分の県の受験生が可愛かったら、9月入学に変更する提言をしてみてはどうかな。その方が欧米に留学もしやすいし、受験生に伸び伸びと受験してもらえるよ。

少子化（令和4年3月）

令和3年の出生者数の速報値が発表されましたね。84万2897人です。明治32年に統計をとり始めてから最も少ない数字だそうです。亡くなられた方も発表されました。145万2289人です。これは戦後最多です。ということは引き算すると、約61万人減少したということです。千葉県船橋市の人口がそっくりなくなったと同じ勘定だね。

3年後には、団塊の世代の最後である昭和25（1950）年生まれが後期高齢者になる。これを2025年問題と言うそうだけど、当然、死亡する人はどんどん増えていくだろう。それは仕方がないよね。問題は生まれる人の数です。

第一次ベビーブームといわれた昭和22、23、24年の出生者数はそれぞれ約270万人です。昭和21年生まれと同25年生まれを足すと計約1250万人、このうち生存者は約1000万人、すなわち日本人の1割弱です。

生まれる人はどうだろうか。

昭和28年に186万人と200万人を割り、以後、百数十万人で推移しました。第二次ベビーブームと呼ばれた46年から4年間は200万人を超えたんです。しかし、50年からは下降線。58年には150万人、平成4年には120万人、そして平成28年にはとうとう97万人と100万人を切ってしまった。そして令和2年の速報値は87万人。これは87万人ショックと言われましたが、昨年は84万人です。

速報値というのは日本在住の外国人や海外に住む日本人も対象にしているんですね。ですから日本に住んでいる日本人だけ見ると、もっと少なくなる。令和2年の速報値は87万人だったけど、確定値は84万人です。ということは昨年の確定値は81万人くらいになりそう。来年以降は80万人を割り込む可能性がある。日本人がどんどん減っていくということですよ。

日本では毎年新たに約８０００人の医師を必要としています。看護師も2万人必要です。警察官も1万人弱、小中高の教職員も数千人、自衛官、消防官みな数千人単位で必要です。我々が社会生活を営むために最低限必要な公務員、医療関係者などの数は毎年20万人から30万人ともいわれています。それとは別に企業、農漁業従事者など、1ジェネレーションで１００万人を大きく超える人々が働いていまの日本を支えているのです。

それなのに年間の出生者が80万人となったら、いやもっと減ったら、国家として存続していけなくなるんではないかな。このままいくと、２０５０年には日本の人口は1億人を割り込み、２１００年にはいまの半分になるんだそうです。

軍事的な安全保障も経済安全保障もとても大事だけど、日本人が減り続けたら、日本がなくなってしまうかもしれない。これは大変な危機ですよ。

じゃあ、政府は何をしているんだろうね。

平成15年に少子化社会対策基本法を制定、18年には少子化社会対策会議を開いて、いくつかの取り決めをした。どんな内容かって？

まずは意識改革。家庭を大事にする意識。子供は家庭だけじゃなく、地域も含めて育てるという意識を持つこと。

次は子育て支援。妊娠出産の負担軽減、不妊治療への助成、子育て手当の加算などなど。さらには女性の働き方改革、保育園の充実などが挙げられているんですね。

これらを悪いとは言わないけど、まったくもって生ぬるい。敵が上陸しているのに、刀を研いでいるようなもの。しかも理念ばかりが先行して、実質が伴わない。

例えば不妊治療だけど、これまでは保険適用外だったんだね。病気じゃないというのがその理由だけど、なんと愚かなことか。不妊治療は高額で、1回に数十万円かかることもある。普通なら若い夫婦には払えないよね。子供は欲しいのに、治療費が高いから子供を産めないなんておかしい。子供を産まない人が増えているんだから、産みたいという人を大事にしなきゃ。この4月から保険適用になりますが、話にならない。全額を国が負担しなくてはいけない。そのくらい切羽詰まっているんですよ。そして子育て費用はほぼ全額を国が負担するようにしないと子供は増えませんよ。

LGBTにうつつを抜かし、独身であることを「個性」などと言っても子供が生まれなければ日本はなくなる。子供のいない者から税金をとれとは言わないが、子供を産んだら、報奨金を出し、2人目はその倍、3人目はさらに出す、という風にしていかないと、この危機は収まりませんよ。子供を虐待死させるような親には未必の故意殺人罪を適用しましょう。

財源は政党助成金をやめ、国会議員の文書交通費をふくむ歳費を大幅に削り、独身税も検討したらいい。そこまでやらないと、何十年か後の日本には日本語以外の言葉を話す日本人に似た居住者だらけということになりますよ。

急の巻

ウロ戦争1（令和4年4月）

ロシアがウクライナに軍事侵攻しました。2月24日のことです。ウクライナは国連に加盟している独立国ですから、軍事侵攻は侵略ということになります。もちろん国際法違反、国連憲章違反です。世界から囂々（ごうごう）の非難の声があがり、日本をふくめ欧米を中心に経済制裁も行われているけど、それは当然のことでしょう。

世界の世論は、ロシアはひどい、プーチンは許せない。それに対してウクライナはかわいそう、でも頑張っている。ゼレンスキーは偉い、という評価です。ま、それも、ウクライナ各都市が攻撃され、多くの市民に犠牲者が出ている現状を見れば当然の感情だよね。

だが、私はいまいち、そういう気になれない。日本では、ウクライナ支援の輪が広がっていて、青と黄色のウクライナの国旗の色のマスクが売れ、その一部をウクライナ大使館や国連難民高等弁務官事務所に寄付するとか、さらには青と黄色で色分けした饅頭やカレーなども売り出されている。しかし、私はウクライナに同情はするが支援する気にはなれない。ロシアが100%の悪で、ウクライナが100%の善だとは思えない。

これまでウクライナの大統領選挙では親露派と反露派がしのぎを削ってきた。ウクライナを東西に分けると、東側に親露派が多く、西側は逆。この対立は深刻で、ウクライナを東ウクライナと西ウクライナに分けろ、なんて議論もあったんですよ。

そんな中、２０１４年にマイダン革命というのがあって、反露派が、親露派だったヤヌコービッチ大統領を追放、政権を奪取した。このとき、反露派が親露派の市民を虐殺したという話もある。また、東部ではこの事件を契機として親露派の武装勢力とウクライナ軍の戦闘が激化、ロシアがクリミア半島に軍事侵攻して取っちゃったよね。要するに何年も血で血を洗う争いをしているわけで、そんな中で、ゼレンスキー政権がＮＡＴＯに加盟すると言いだして、ロシアの軍事侵攻になったんだね。

それにしても、プーチンはどうして侵略を始めたんだろう。

私は、プーチンは極めて頭の良い男だと思っておりました。ソ連崩壊後のエリツィン体制の混乱を収拾し、曲がりなりにも選挙で政権の座を勝ち取り、一時はＧ８にも入り、西側諸国と肩を並べて世界を論じるところまで復活させたわけで、並々ならぬ能力とみたけど、今回の侵略を見て、この男は頭が壊れたと思ったね。こんな侵略をして、ウクライナに親露傀儡政権を作っても、ロシア経済が受けるダメージは計り知れず、侵略前よりも、ロシアが沈むことは明らかで、政権交代、下手すればクーデターも起こりかねない。そうなればプーチンは失脚どころか逮捕される可能性もある。あんなに頭のいい男がなんで、こんなバカなことをしたのか、いまだに解せないけど、22年間の独裁で、裸の王様になってしまったのかもしれない。

そもそもウクライナはなぜ独立国なのか。

ソ連は15の共和国の連合体という体裁をとったけど、１９４５年に国連ができると、ソ連とは別にウクライナと白ロシア（ベラルーシ）を強引に国連に加盟させてしまったのだ。国連でのソ連の発言権を強化するための措置だけど、まだ冷戦が始まる前で、アメリカもイギリスもフランスも、同じ戦勝国という発想で、それを許しちゃったんだね。それが間違いのもとでしたね。

ソ連は解体されたけど、国連に加盟している以上、ロシアといくら兄弟国だとはいっても、ロシアとは別の国として名目ともに独立国になったんだね。これにはスターリン時代に、食糧調達などで、多くのウクライナ人が餓死した反露感情も手伝っているんだとさ。

１９４１年にドイツがバルバロッサ作戦でウクライナに侵攻したとき、当初、ウクライナ人と軍はロシア憎さから、ドイツに協力したなんて話もあるくらいだ。

でもね、ロシアからすれば、ほぼ同じ民族で、ウクライナの人口の2割がロシア人で、言語も方言程度の違いしかないから、同国意識が強いんだそうな。これはベラルーシも同じで、ソ連は解体されても、ロシア、ウクライナ、ベラルーシは同じ国として再出発してもおかしくない、と考える人が多いそうだ。それなのに、こともあろうにロシアを敵性国家としているＮＡＴＯに加盟しようとするなんて許せない、と思ったんだろうね。

これを書いている3月末現在、キエフ（キーフ）方面では戦線は膠着（こうちゃく）している。これは電撃戦でロシア軍が失敗したことを意味している。ゼレンスキー政権打倒どころか、彼は英雄になってしまった。

ロシア軍の砲撃に殺される人、逃げ惑う人、みな民間人だけど、その映像を見ていると、私は昭和20年8月8日からのソ連軍の満洲侵略を想起しますね。あの時、逃げまどっていたのは日本の民間人。そして侵略してきたのはソ連軍、そのソ連軍の兵士の多くはロシア人、ベラルーシ人、そしてウクライナ人だよ。いまのウクライナ人は、満洲における日本人の悲惨をどれだけ知っているのだろうか。

ウロ戦争2（令和4年5月）

ロシアがウクライナに軍事侵攻して2か月以上がたちましたが、行き先が見えませんね。これを書いている4月末現在では、5月9日の対独戦勝記念日には終わるとの観測もありますが、そう簡単ではないでしょう。ウクライナが主張しているロシア軍の一般住民への虐殺も本当のようだし、一時行われた停戦交渉もストップしている。双方が戦争をやめたがっているのはよく分かるけど、停戦合意には程遠い。

プーチンは核兵器の使用を示唆していると伝えられているけど、もしそうなったら、ロシアは破滅ですよ。もっとも、ウクライナに軍事侵攻したこと自体が、ロシアの破滅への序曲だから、ここまでくれば何をするか分からないよね。

ロシア語に堪能な人に言わせると、彼のしゃべり方は、軍事侵攻前とはかなり違っているそうだ。ということは彼の人格か心理か知らないけど、大きく変化したということなんだろうか。前回書いたように、崩壊し、経済破綻したロシアをG8のメンバーにまで押し上げたプーチンとは別人格になってしまったということなんだろうか。

そのプーチンをロシア人の8割が支持しているというのも驚きですが、情報統制、報道管制の怖さをつくづく感じるよね。さすが、この間まで共産主義をやっていた国、いや、いまも共産主義と同じ専制主義の国、というか、何も変わっていないんじゃないかな。プーチン君は元KGBだしね。

ところで今回の戦争を見ていて、あることに気が付いた。

それはロシア軍の弱さだ。先般、元陸自のナンバー2と話す機会があって、まったく同じことを言っていたけど、2月24日に戦車を先頭にウクライナの北のベラルーシ側からキエフに向けて侵攻したにもかかわらず、わずか90キロのキエフまで行きつけなかった。奇襲・電撃戦としてはあり得ないことですよ。

ウクライナとベラルーシの国境地帯は確かに森林が多いけど、ウクライナの国土の多くは平坦で、戦車の侵攻にはもってこいの地形です。総兵力も装備もロシア軍の方が圧倒的に優位。しかも先制、電撃。この条件で、30日でキエフを落とせないということは、軍事学から見て、信じられないことだね。

おそらく、プーチン君も、1週間かそこらでキエフを陥落させ、ゼレンスキーが逃亡すれば、親露政権を立てておしまい。もし、ゼレンスキーが頑張れば逮捕するなり殺すなりして、同じく親露政権を立てて状況終了。「やっぱりウクライナはロシアの可愛い弟だ」などと抜かして、あとは知らんぷりをするつもりだったんだろうね。

ところがどうです。戦車部隊は道路を1列縦隊に進み、前方から攻撃されて動けなくなってしまった。脇道に行くという選択もできず、ひたすら前が空くのを待っている高速道路の渋滞と同じ。漸く平坦なところに出たら、対戦車砲を横から撃たれて、次から次へと擱座。進めなくなっちゃったんですね。この対戦車砲がジャベリンです。ジャベリンは1991年にアメリカで開発され、1996年に実戦配備されているのですが、それがウクライナにも渡っていて、今回大きな成果をあげたわけです。ジャベリンは射程2キロ、重さ22キロ、2人で操作でき、かつ誘導弾のミサイル砲です。現在の最先端戦車の装甲を撃ち抜く能力があります。ですから、ロシア軍の戦車を見つけたら、ジャベリンをかついで、撃てば誘導弾だから、まず間違いなく中るわけです。

このジャベリンをアメリカは1万7000基、ウクライナに供与したんだってさ。ロシア軍の全戦車は3000両もないから、単純計算では1両に5、6発撃てることになる。

ロシア軍はソ連軍時代から縦深同時制圧戦略というのをとっていて、歩兵師団のことを自動車化狙撃師団と称し、戦車を中心とした電撃戦が持ち味だったけど、それがまったく機能していないわけだね。

それについては、兵士の士気の低さ、実戦とは知らされていなかった、などと言われているけど、戦争目的が将兵に周知されていなかったこともあるだろうね。もちろん、ロシア兵士のレベルの低さも考えられる。

しかし、それ以上に、ロシア軍は電撃戦に向いていない軍隊ではないかと思ってしまう。90キロを仮に300両の戦車で行けば、ドイツ軍なら2週間、日本軍なら10日で到達できるだろう。ロシア軍というのは防衛戦には強いが攻勢には向いていないのかもしれない。ナポレオン戦争、露土戦争、日露戦争、独ソ戦、いずれもしのぐ戦争には強いけど、攻める戦争は大したことがない。

今回の戦争について、ロシアを非難するのは簡単だけど、ロシア軍の現実の実力を判断する絶好の機会でもあるよね。また、兵器、武器の評価も欠かせない。世界の軍事関係者は固唾をのんで、そこを見ている。これを機に日本学術会議も、軍事研究に本気で取り組んだ方がいい。それが日本の平和を守るんだから。

ウロ戦争3（令和4年6月）

囲碁のことを「ウロの戦い」といいます。漢字で書くと「烏鷺」です。カラスは黒い、サギは白い、だから白黒の戦いというわけです。しかし、いま行われているウロ戦争は終局が見えません。

今回の戦争、世界中の政府、軍人が固唾をのんで見守っています。彼らが見ているのはロシア軍の戦略・戦術そして武器です。簡単にいうと運用を見ているということ。プーチンがなぜ戦争を始めたのかなんてことは消し飛んでいるのです。彼らはウクライナ軍も見ています。それは供与した武器の性能です。西側諸国はさまざま武器をウクライナに提供していますし、これからもどんどん提供するでしょう。それらの武器がどの程度の性能をもち、実戦に役立つかという壮大な実験を目の当たりにしているのです。

武器にとって、こんな有難い実験場はありません。ウクライナにとっては気の毒なようですが、しかし、ウクライナも最新鋭の武器を提供してもらって、ロシアと戦えるわけですから、文句は言えないでしょう。試薬品の人体実験みたいなもんですな。

西側諸国の武器提供もあって、ウクライナは善戦しています。軍事的には弱小国のはずですが、強大な軍事大国であるロシアと互角以上の戦いをしています。

しかし、いくらウクライナが最新鋭の武器を提供されているからといって、ロシア軍はちと弱すぎないかな。独ソ戦であれだけの戦争を戦い、冷戦下、強大な軍事力でアメリカと対峙し、東欧諸国を蹂躙してきた国なんだから、ウクライナ相手に一進一退はないだろう。

この弱さはどこから来ているのか、世界の軍事専門家は分析しています。

まず、兵士の士気、これかなり低いですね。独ソ戦の時は、自国に攻め込まれて、負ければ死あるのみですから、必死ですよ。逃げ場がないからね。2は投入されている兵力が少ない。といってもロシア陸軍は総兵力が33万弱、戦車３０００両。そのうち20万人を投入している。でもウクライナ軍は総兵力約15万で防衛。攻撃3倍の原則というから、これではロシア軍は勝てない。3はすぐに勝てると思ったこと。ロシア軍が攻め込んだら、ウクライナは歓迎するか、降伏すると思っていたらしい。何ともお目出たい国だ。

だが、専門家たちが、うすうす気が付き始めているのは、ロシア軍は守勢には強いが攻勢の戦略がないということです。

そういうと昭和20年のベルリン侵攻や満洲侵略はどうだ、と言われそうですが、あの時点でのドイツ軍や関東軍は、軍事的には極めて劣悪な状況だったのですから、勝つのは当たり前です。南樺太、占守などの千島も。

問題は実力伯仲の軍との戦争で、攻勢に出られない、ということです。古くはナポレオン戦争ですが、独ソ戦も、すべて冬将軍に助けられ、ナポレオン軍やドイツ軍が疲弊し自滅していくのを待つ戦争なのです。最終的には勝ちましたが、相手を打ち負かした戦争ではない。相手が弱り切って撤退したり、降伏したりしたのです。いずれも、極寒の自国領内での戦争です。自国より南にある他国を攻めるという経験がないのです。

数次にわたって露土戦争が戦われましたが、あの戦争でも本格的な攻勢はかけていません。

要するにロシア軍は、攻勢戦争はできないということのようだね。地上軍（陸軍）だけじゃない、海軍もそうらしい。

となると、この戦いは時間がたてば、他国の支援を受けたウクライナ軍が優位になりそうで、起死回生の挽回策として、ロシア軍が核兵器を使う可能性がでてくるだろうね。

最後に私が注目しているのは、日本への影響です。台湾有事、尖閣有事ということもあるけど、日本の世論がどう変化するか、です。

今回のウロ戦争は平和ボケしている日本に大きな影響を与えているよね。ロシアは平和国家だなんていうアホはもういないだろうし、チャイナが台湾や尖閣を侵略する可能性を否定するボケも消し飛んだ。

共産党や社民党、立民といった左翼全体主義とお友達の政党が国民からますます見放されていくことは間違いないですね。しかし、私はだからといって自民党がいい、なんて毛ほども思っていません。自民党の多くの議員も平和ボケしているからね。防衛費の増額はもちろんだけど、核共有なんて、かつてなら考えられなかった事態が当然のように議論され始めているし、核保有も議論されるだろう。それはそれで当然のことですが、問題はそれを他人事ではなく、自分のこととして認識することができる日本人がどれだけいるのかということです。

攻撃型の長距離ミサイルや戦略爆撃機、空母といった北京や平壌を攻撃できる打撃能力を備えることです。ロシア、チャイナ、北朝鮮というならず者に囲まれている日本としては、その程度が自国を守る最低の手段だということをウロ戦争は教えてくれているんではないかな。

ウロ戦争4（令和4年9月）

ロシアがウクライナに侵攻して半年以上がたちましたね。そんな折、ある大学教授から電話がかかってきました。

「大野さん、この戦争、いつまで続くの」

という能天気なものです。彼はかつて同じ記者クラブにいた某通信社の記者で、現在は某私立大学で経済学を教えているんだそうです。ウロ戦争は資源や食糧などの物流に大きな影響を与えているし、そのために世界中でインフレ傾向が高まっているから、安全保障や軍事に疎い経済学部の先生でも、戦争の行方が大いに気にかかるということだろうね。そこで私は答えました。

「終わりません」

「終わらないって、どういうこと？」

第二次世界大戦後、世界で起こった戦争・紛争は約１００件。このうち宣戦布告をして行われた戦争・紛争は第1次から第4次までの中東戦争、イラン・イラク戦争、フォークランド紛争など13件。そしてどちらかが敗北を認めて終戦となった戦争・紛争はゼロ。多くは朝鮮戦争のように停戦となったり、ベトナム戦争のように、片方が撤退して終わったり、それぞれが兵を引いたり、膠着したりして、戦闘が行われなくなるのです。大東亜戦争のように、降伏文書に調印して、終戦になるなどということは、第二次世界大戦後はなくなったのです。

では、ウロ戦争はどうなっていくのか。

ロシアからすると、ウクライナという本来はロシアの一部の国が、敵であるNATOに入ろうとしたことを阻止するための軍事行動で、しかも、ウクライナに住むロシア人が迫害されていることへの反発による軍事行動と考えているから、宣戦布告をするはずもないよね。

突然、一方的に攻め込まれたウクライナはロシアに宣戦布告をしてもよさそうなものだが、なぜか宣戦布告はせず、抵抗を続けている。ということは、双方ともこの戦争を限定的なものと考えていて、できれば早く終わらせたいと思っているからだろうね。

じゃあ、なぜ、終わらないのか。それは戦争をやめる条件があまりに違い過ぎるのと、第三国の思惑だろう。

戦争をやめる条件は、ロシアからすれば、ウクライナのNATO加盟阻止とドネツク、ルガンスクの東部2州のロシアへの編入だ。東部2州にはロシア人が多く住でいるからね。この条件をウクライナが飲めば、ロシアは停戦に応じると思いますよ。

では、ウクライナの条件は何だろう。現在、ウクライナの領土であるドネツク、ルガンスク州の確保はもちろん、２０１４年に一方的にロシアに編入されてしまったクリミア半島の奪還だろうね。

要するにＮＡＴＯ加入問題は、この際棚上げして、東部2州とクリミアをどうするかが最大の焦点ということだね。

ロシアとすればすでに編入したクリミアを返すなんてあり得ないし、ウクライナからすれば、クリミアを取り返さないと、戦っている意味がない。東部2州のロシア編入なんて許されない。

となれば、この戦争はどこかで折り合うことは不可能だね。じゃあ、どうするか。いま、膠着状態となって、双方がミサイルだの大砲だのを撃ち合っているけど、この状態がかなり長く続くということになると思いますよ。

忘れてはならないのは、第三国の思惑だ。とくにアメリカ。

アメリカからすれば、ウクライナがＮＡＴＯに入ろうが入るまいが、どうでもいいこと。かつて、アメリカ政府の一部には「ソ連の崩壊でＮＡＴＯの役目は終わった」という意見もあったほどだから、いまさら、ウクライナがＮＡＴＯに入りたいといっても、ロシアへの嫌がらせ程度の意味しか持たないよね。しかし、戦争になっちゃったから、こんな有難いことはない。戦争をすれば経済力はもちろん、国力は著しく減退する。敵対するロシアの国力が減退し、しかも世界中から悪者扱いされ、ウクライナを支援するアメリカは英雄視される。まさに千載一遇の好機でしょ。しかも、アメリカにとってウクライナは安全保障上、それほど大きな意味を持たない。とすれば、アメリカは、ウクライナがロシアと拮抗する程度の武器を提供しつつ、戦争を長引かせることで、ロシアの力を削げればベストでしょう。ロシアが圧倒的に強くなって、ウクライナに親ロシア政権ができるのも困るけど、ウクライナが圧倒的に強くなって、負けがこんだロシアが核兵器に手を出すのも困る。双方、膠着状態が続いて、このまま推移するのがアメリカにとっては一番理想なのかもしれない。同じことはイギリスやドイツも考えていると思うよ。ロシアはそれが分かっているけど、やめられない。だから、この戦争は終わらない。

一部で言われているように、もし、これがアメリカのネオコンのシナリオだとしたら、ロシアもウクライナも浮かばれないね。

ウロ戦争5（令和5年10月）

ロシアがウクライナに侵攻して1年10カ月、なかなか出口が見えませんね。われわれ日本人は平和を愛する民なので、戦争は早く終わってほしいと思っているのですが、我々以上に、この戦争を終わらせたい人がいるでしょう。ウクライナの人はもちろんですが、それはプーチン君その人です。

彼が始めた戦争ですが、この戦争を始めたことを、いまとっても後悔しているでしょう。この戦争の結果、プーチン君とロシアに何が起こったか。

まずは国際法違反の侵略戦争を始めたのだから、国家としての信頼を失ってしまったよね。もちろん、国家としての威信も失ったから、これを取り戻すには数十年ではきかないだろうね。次に戦争を始めたものの、まったく勝てていない、というか、むしろ劣勢に立たされているから、軍事大国としての優越性を完全に喪失してしまったよね。最初のキーウ侵攻に失敗し、東部もウクライナ軍に押されているから、あの軍事大国のロシアはどうなったのか、張子の虎であったことがばれちゃった。そして経済も後退して、国も国民も国際社会の経済制裁にアップアップだ。

ロシアは戦争に勝てないし、孤立しているから、チャイナや北朝鮮に武器・弾薬の供給をお願いしている。長年、国境紛争などでもめてきたチャイナに頭を下げて経済援助をお願いし、チンピラの北朝鮮には弾薬の補給をお願いしている始末。

大ロシア帝国の再建を目指すプーチン君としては屈辱的なことだね。それもこれも、ウクライナ侵攻の失敗のせいで、「こんな戦争を始めるんじゃなかった」と頭を抱えていることだろう。

では、これから先、この戦争はどうなるのか。

私の個人的な独断で言わせてもらうと、今年は無理だけど、来年か、遅くとも再来年には戦争は終わるね。どういう終わり方をするか、プーチン君が失脚するか、逮捕されるか、暗殺されるか、といったところから始まるだろう。

プーチン君に代わる政権がウクライナと協議して、戦争前の状態に戻す。クリミア問題は棚上げして協議継続案件とする。ウクライナのＮＡＴＯ加盟も継続案件、西側のロシアへの制裁は解除、ロシアはウクライナに賠償することを約束（でも守らない）といったところが落としどころじゃないかな。

その根拠は、かつてのソ連のアフガン侵攻だ。あのとき、アフガンゲリラは捕虜にしたソ連兵の首を掻き切って、それをビデオに収めてモスクワに送ったんだ。なんとも残酷な話だけど、それを知った兵士の母親たちが「アフガン侵攻反対」と声を上げたんですね。共産主義政権下で、党の政策を非難すればどうなるか、その恐ろしさはよく分かっているけど、可愛いい息子がアフガンゲリラに首を切られることを考えれば、共産主義なんて怖くない、とお母さんたちは立ち上がったんだね。母親たちの行動が最終的には共産党政権を終わらせ、ソ連の解体につながっていく。まことに母は強い。

ソ連はアフガンに約10万人の兵を送り込み、１割以上が戦死したとされる。今回の戦争はどうだい。ロシアはこれまでに50万人以上の兵を投入、このうち７万人から12万人が戦死したという情報がある。アフガンの比じゃないよね。ロシア国内は情報統制されているようだけど、少しずつ事実が分かってくる。そうなると母親たちは黙っていないよね。

さて、今回のウロ戦争で日本はどんな教訓を得たか。

憲法9条があるから軍隊は持ちません、自衛隊は軍隊ではありません。非核三原則を守り、専守防衛に徹します。攻撃されたら必要最小限の抵抗にとどめます。これがこれまでの日本政府の姿勢だけど、こんなもん、みんな吹き飛んじゃった。現代の戦争は陸海空だけじゃない、宇宙、サイバーがむしろ主戦場化しつつある。宇宙（衛星）戦、サイバー（コンピューター）戦で負けたら陸海空での勝ち目はない。宇宙やサイバーに専守防衛もクソもない。

さっさと憲法を改正し、自衛隊を国軍にし、非核三原則、専守防衛といったおままごとをやめ、アメリカに頼らなくても自国を自国だけで守れる体制をつくっていくことだ。

AI、量子科学、情報通信、半導体、バイオテクノロジーといった分野の軍民両用の研究開発を活発化し、どうすれば日本と日本国民を守れるのかを真剣に考え、考えるだけじゃなく実行に移すことだ。それには平和ボケからの反論があるだろうから、それはどんどん切り捨てるしかない。日本学術会議はもちろん、防衛研究を行わない大学や大学院は廃止したらいい。

日本が平和で安全であるからこそ、研究ができるのであって、その環境を維持することに努力しない者は、ロシアにでもチャイナにでも北朝鮮にでも行ったらいい。

日本にミサイルが落ちてから、防衛問題を疎かにしてきたツケだ、なんて嘆いても遅いんですよ。

日本共産党1（令和4年7月）

本稿が掲載されるころには参議院議員選挙も終了し、与党自民・公明はもちろん、改憲賛成の維新、国民民主などもふくめ、改憲勢力が3分の2前後となり、現体制維持、というより、盤石の岸田体制という結果に終わっていると思いますね。

でも、それは何も岸田政権がしっかりした政治をやっているからではないんですよ。有権者としてはあの悪夢の民主党政権の二の舞だけはゴメンと思っているから、立憲民主ではなく、まして北朝鮮びいきの社民や共産主義政党の共産ではなく、仕方なく自民に投票するか、それでも自民だけは嫌だと思っている人が、維新や国民民主に投票した結果ですね。

今回の選挙は安全保障も大きなテーマだったね。ロシアのウクライナ侵略で、ロシアはもちろん、赤いファシズム習近平チャイナ、赤い狂犬病キム某NKがいつ何時、日本に攻め込んでくるかもしれないという不安感が、ようやく日本人に防衛問題に関心を向けさせ、国防意識が少しは高まって、自民や維新に有利に働いたとも考えられるよね。

だからといって、岸田自民党はいい気になってはいけない。岸田君はホームランもヒットも打っていない。相手がフォアボール、暴投、エラーを重ねたため、結果的に勝者になっただけ。

　さて、みなさんは駅頭などで配られる政党のビラを受け取りましたか。私は必ず受け取ることにしています。とくに共産党のビラは受け取ります。なぜなら、共産党のビラを一般の人の手に一枚でも受け取らせないためです。もう一つの理由は、共産党のビラは屁理屈が面白いからです。

　ところがどうだろう。今回の共産党のビラのお粗末なこと。まるで社民党並みのレベルの低さですよ。

　まず、日本で最も古い政党だと。まあそれはいいだろ。１９２２年結党だから、今年で１００年。おめでとう。問題は、「立党以来１００年、ずっと戦争反対を叫んできた政党」だと主張してること。これがウソだね。共産党が反対したのは日本やアメリカがやった戦争に対してであって、八路軍（チャイナ共産党軍）、ＮＫ軍、北ベトナム軍、ベトコンなどが行った戦争には反対なんかしていない。いやエールを送っている。要するに共産主義勢力のやる戦争には賛成なんだ。あらゆる戦争に反対してこその戦争反対だから、「結党以来戦争反対を叫んできた」というのがウソだと分かるよね。

　次に共産党は、「平和と自由を守る」とのたもうている。これには笑った。共産党が平和を守るとは、一体どのツラ下げて言っているのかね。彼らには山村工作隊の歴史がある。

　昭和20年代後半、共産党の山村工作隊は、全国の山村を拠点して、テロや破壊工作、火炎瓶闘争を展開し、多くの逮捕者を出し、国民からそっぽを向かれて、闘争を止めざるを得なくなった。彼らは平和も守らないし、戦争反対でもないことは明らかだよね。

「自由を守る」というのはもっと笑った。共産主義は自由とは無縁、というか、自由を抑圧する主義だからです。共産党というのはマルクス・レーニン主義に基づく共産主義政党であり、かつてはプロレタリア独裁を標榜していたんですよ。しかし、プロレタリア独裁というと、独裁主義と勘違いされるかもしれないと思ったのか、民主集中制と言い換えたね。これがまた笑っちゃうんだね。民主集中制って何だい。つまりは、党中央が決定したことに反対を許さないということなんですな。では、党中央の決定はどうやって決められるのか。それは193人からなる中央委員会で決めるんだけど、その上の幹部会（64人）の決定に従わなくてはならない。その幹部会も26人からなる常任幹部会に従っている。そして常任幹部会は委員長の指導下にある。そしてその委員長は、いままで選挙で選ばれたことがない。

いまの委員長は志位和夫君だけど、彼は平成12年から22年間も委員長で、この間、委員長選挙なんてやったことがない。だって、対立候補が出ない選挙だから。いつも拍手で承認。

平成12年というと、首相は小渕君から森君に代わった年だ。以後、小泉、安倍、福田、麻生、鳩山、菅(かん)、野田、安倍、菅(すが)、岸田。この間、選挙なしでずっと委員長。これって独裁ってことじゃないの。

自民党も立憲民主党も党首選挙では複数の候補者が、意見を言い合い、議論し、党員が自由投票して、党首を決めるけど、そういうことは共産党ではあり得ない。あらかじめ決められている、というか、最高幹部が決めた候補者のみが立候補して、そのまま決定する。いまやロシアでさえ選挙で大統領を選んでいるのに、チャイナ共産党、北朝鮮労働党とまったく同じシステムだ。

党員には党首を選ぶ自由がないのに、「自由を守る」だなんて、どこまで国民をバカにすれば気が済むんだろう。私は自民党は嫌いだけど、岸田君を非難する自由はある。だが、共産党政権になったら、私の生命の保証はないだろう。多分、これを読んでいるみなさんも。

日本共産党2（令和4年8月）

参院選の結果が出ましたね。投開票日直前に安倍元首相が銃撃されて死亡するというとんでもない事件が起きましたが、この件については、今回は触れません。

さて、結果は予想以上の自民党圧勝、維新躍進、立民後退ですが、何とも残念だったのが、社民が政党としての要件を辛うじて保ったことですな。ついでにれいわ新選組も。このため、社民やれいわに政党助成金が支払われるんです。税金払いたくなくなるよね。

さて、共産党です。改選6議席から2議席減らして4議席となりました。選挙区の当選はたった1人です。東京の山添君です。東京以外の選挙区は全滅です。比例区で3人がやっと当選しました。非改選が7議席ですから合計11議席。それまでの13議席から2議席減ったわけです。13から11に減ったというと、少し減っただけのように思えるけど、改選6議席が4議席になったということは3分の2になったということです。

共産党が比例区で目標にしていた得票は650万票だったんだってさ。しかし、実際に得た票は362万票だった。これは目標の56％ですよ。目標の半分ちょっとしか票を得られなかったということだね。

そこで、党の最高意思決定機関である常任幹部会が出した声明は「責任を深く痛感している。自力をつける取り組みは質量ともに立ち遅れ、打開できていない」というものでした。

みなさん、この声明を読んで意味分かりますか？

まず「責任を痛感している」はいいよね。常任幹部会が責任を感じるのは当然でしょ。そのあとだ。「自力をつける取り組み」って何だい。さらにその取り組みが「質量ともに立ち遅れ」って何だい。さらに、それが「打開できていない」とは何が打開できていないということ？

この文章は二重の意味でおかしいのです。まずは日本語として。

「自力をつける取り組みは質量ともに立ち遅れ、打開できていない」が文法的に意味が不明。

もう一つは主語がないということ。共産党が選挙で敗北するときの常套句なのだが、基本的に主語がない。まるで評論家が説明しているようで、当事者意識が感じられない。どんな政策を提示したことが国民の理解を得られなかったのか、そのためには何をどう変えればいいのか、という具体的なものは全く出てこないんですね。

要するに、共産党は悪くない。我々は正しい。しかるに、野党共闘がうまくいかなかったり、連合が共闘を邪魔したり、自民党などの保守勢力が圧力をかけた結果、本来なら大いに議席を伸ばせたはずなのに、こんな結果になってしまった、という理屈です。

ロシアのウクライナ侵攻で、多くの日本人はかつての共産主義国家ソ連を思い出したことだろうが、共産党のビラには、「プーチンは共産主義者ではありません」と書いてあった。これ笑ったね。共産主義はいい者で、そうでないプーチンが悪者みたいだけど、プーチンはスターリンやブレジネフら共産党のやってきたことを踏襲しているだけじゃないの。これじゃまるで、プーチンのせいで選挙に負けたみたいだ。多分、本気でそう思っているんだろう。

戦後、共産党が合法化されてから何回も選挙をしてきて、その間、議席が増えたことも減ったこともあったけど、減ったときはいつも、他人のせいなんだ。そして、自分たちの正しさを理解しない国民に問題があると言い張るんですな。

こういう政党が政権をとったら、政権に異論を挟むことは許されないね。だって、いつも共産党は正しいんだから、正しいものに反対するものは犯罪者ということになるわけだね。

さて、その日本共産党、ソ連が崩壊したり、チャイナがチベットやウイグルを弾圧していることが明らかになったら、「自分たちは共産党ではありません。日本共産党です。中国の共産党には反対です」だって。一体、何が違うのか、しっかり説明しなさいよ。もとは同じコミンテルンだろ。

参院選にもどろうか。議席を減らし、目標の票数にも届かず、惨敗と言ってもいい結果になったのに、誰も責任をとらない。志位君は委員長の職に留まったまま。そもそも声明だって、常任幹部会の名で出したもので、委員長ではないんですよ。こうやって志位君は責任逃れをして、委員長を続けるわけね。かつての宮本君や不破君も同じ。他の政党なら、すぐに党首交代、複数の候補者が議論をして選挙するんだけど、こういうことは共産党ではあり得ない。何故なら反対は許されないから。

21世紀も間もなく4分の1になろうというときに、20世紀に崩壊したはずの共産主義を標榜する政党が近代民主自由国家に存在していることが異様であり、恥なのです。全体主義を世界から駆逐するためにも、まずは日本共産党と名乗っている全体主義政党と主義者を壊滅させないと、本当の近代国家とは言えないよね。

日本共産党3（令和4年11月）

今年は結党100年ということで、共産党に関する記事が新聞や雑誌にもちらほら出るけど、共産党に関する議論はかつてほどには盛んではないよね。どうしてだろう。共産党が穏やかになったからか、いやいやそうではない。力が相対的に落ちているからだろうね。躍進しているときは何周年だろうが、共産党に対するジャーナリズムは活発だったけど、この長期低落傾向では、分析する価値があまりない、ということ。にもかかわらず、というか、だからこそ、というか。私からみると共産党はやはり面白い。

まずは、チャイナのウイグル弾圧に対して、真っ向から批判しているのは共産党だ。まことに立派ですが、そこに添えられた文がまたいい。

「私たちは日本共産党です。中国共産党ではありません」ときた。一般の人からすると、同じ「共産党」だけど、彼らに言わせると、「中国共産党は本当の共産主義ではなく、共産主義をかたる専制主義」ということになり、自分たちこそが本当の意味の「共産党」ということになる。ややこしいね。

いまの日本ではチャイナの評判がすこぶる悪い。習近平の独裁、習体制に逆らう者には容赦がない。かつてのスターリン、毛沢東なみだ。同じ共産党の名前を看板にしているからといって、一緒にされてはたまらない、という悲鳴が聞こえてくるよね。だからこそ、声高にチャイナのウイグル弾圧を非難しているわけ。本当にウイグル人のことを思っているかどうかは??

同じ「共産党」を名乗り、かつてはソ連共産党のチャイナと日本の支部として、兄弟党であったことをどう説明するんだい？　そこは何も言わないで、「私たちは日本共産党であって、中国共産党ではない」といくら叫んでも、「ああそうですか」というわけにはいかないよね。いまのチャイナの独裁、専制、非チャイナに対する弾圧は共産主義が辿るべくして辿った道じゃないか、と思うけど、その説明がない。

次に笑えたのは、選挙のビラにもあったけど、「プーチンは共産主義者ではありません」というあれ。ロシアのウクライナ侵略を見て、多くの人はロシアにソ連のイメージを重ねて、「やはり共産主義は怖い」と思うのではないかと考えて、「プーチンは共産主義者ではなく、ロシアも共産国ではない」と声高に言わないと誤解されると思ったんだろうね。

なんとも可愛い、というか、そのまんまのリアクションだよね。プーチンはかつてのソ連のKGB出身だし、プーチンの独裁体制はソ連時代、すなわち共産党一党支配体制と何も変わらないから、プーチンと共産党を一体と見られては迷惑ということなんだろうね。そこで躍起になって、ウクライナ侵略を非難し、プーチンを攻撃し、平和の使徒のような顔をしているんだろうね。

さて、さらに笑えたのは、「憲法違反」と厳しく追及してきた自衛隊について、もし日本が侵略されたら、「自衛隊を活用する」と言ったことだ。

私は耳を疑った。共産党はかつて「自衛隊は憲法違反。しかし、自衛は必要。共産党政権になったら、日米安保条約を破棄して、憲法を改正し、自衛の軍隊をもつ」と言っていたんですよ。ところが、「憲法改悪反対」を叫ぶようになり、平成6年、自社さ連立政権ができて、社会党が事実上、「安保反対」「自衛隊違憲」「非武装中立」を放棄したため、共産党が「非武装中立」を言い出したんですよね。

ということで、共産党は「憲法改悪反対」「安保反対」「自衛隊違憲」「非武装中立」となったけど、ロシアのウクライナ侵略、北朝鮮のミサイル、チャイナの台湾武力侵攻の可能性などが論議されると、「侵略を受けたら自衛隊を活用する」だって。

もう一つ、かつて共産党は同性愛について、「性的退廃」だとして、強い不快感を示したんですね。ところが、いまのポスターには「ジェンダー平等」と書かれている。一体、どっちが党の見解なんだい？　多分、これもジェンダーフリーという世の中の風潮に迎合してのことなんだろう。

共産党はかつてのこわもてのイメージを変換して、ソフト路線に切り替えるのに必死だよね。でもその本質は革命だろう。と思っているんだけど、街中でビラを配っている共産党の人はほとんどが高齢者。それも多くが恐らく後期高齢者。これでどうやって革命をやるんだろう？　「革命だ」と叫んで立ち上がった途端に倒れて、お巡りさんから「大丈夫ですか」と声をかけられ、助け起こされるんじゃないかな。

共産党は昔から一貫した主張をしているなんて言う人がいるけど、違いますよ。「天皇制反対」はいつの間にか「国民の意思に従う」になったし、「私有財産の禁止」もなくなったし、言論や結社の自由も認めると言うし。とにかく変節しまくりの党です。共産党に比べたら「憲法改正」「安保堅持」「自衛隊必要」の自民党の方がよっぽど主張が一貫しているよ。

日本共産党4（令和5年3月）

日本共産党がまた楽しいパフォーマンスをしてくれましたね。2月初旬のある日、元民主青年同盟（民青）の役員で、党の政策委員、安保外交部長を歴任した松竹伸幸君を除名処分にしたんですね。このニュースを聞いたときに、私は松竹君が万引きとか痴漢とか、とにかく破廉恥なことをして除名になったと思ったんですね。ところがそうじゃない。「党に対する敵対行為」「分派活動を行った」党規違反というので、びっくりしましたね。松竹君が一体どんな「悪いこと」をしたのか、知りたくなった。

だが、調べてみて驚いた。彼は記者会見を開いて党首公選制を要求したり、自衛隊や日米安保条約の容認などを求めたりしたんですね。これが党規違反とされたわけです。

松竹君がなぜ記者会見を開いたか。それは彼の持論である党首公選を盛り込んだ文春新書『シン・日本共産党宣言』を1月20日に出版したことが発端のようだね。

この本で彼は公党で党首を公選で選んでいないのは共産党（公明党は形式的には公選）だけ、としたうえで、党首公選制にして国民の前で開かれた議論をすることで、党が活性化し、国います。

民の党への恐怖感も払拭できるとしています。安保・自衛隊をふくむ防衛論議ももっと現実的にすることで、他の野党との連携もしやすくなり、野党共闘が現実味を帯びると主張しています。

これだけ聞いていると、なんか当たり前のことを普通に言っているような気がするよね。ところが、これが党規違反、敵対行為、分派活動というおどろおどろしい罪過だというのだから、いやはや共産党というのはすごい党ですね。

そこで、朝日新聞が2月8日の社説で、「(今回の除名は)共産党の閉鎖性を一層印象付け、国民からの支持を遠ざける」「異論を許さぬ強権体質」と批判しました。

これに共産党が激怒、2月9日付のしんぶん赤旗の論文で「悪意がある」「あまりに不見識」「断固反撃する」と噛み付き、委員長の志位和夫君がご丁寧にも記者会見まで開いて、「党の自主自立的な運営に対する乱暴な介入、干渉、攻撃だ」と朝日を弾劾したんですね。この会見で志位君は「朝日」と言うところを「産経」と言い間違えて、「あ、ごめんなさい。産経新聞はそういうことはやっておりません」と産経新聞に謝罪するおまけまでついたね。産経は敵だけど、朝日は味方という思いこみで口が滑ったのかな。

ところが、翌10日付の毎日新聞も社説で「時代にそぐわぬ異論封じ」として松竹君除名を批判。すると今度は共産党の田村智子副委員長兼政策委員長が記者会見し、「あまりに不見識」「党外から党を非難する松竹氏に怒りを覚えた」と吠えましたね。

しかし、よく考えてみよう。共産党のこの前時代的な、というか相変わらずの独善性を前面に打ち出した除名騒動について、朝日や毎日の社説は、批判はしているが、非難しているわけではない。

むしろ逆で、党員も減り、国会の議席も地方議会の議席も減り、しんぶん赤旗の部数も落ち込んでいる共産党の前途を心配して、「もっと柔軟になれ」という愛のムチの社説だったんじゃないの。

それを「党への攻撃」などと騒ぎ立てて、敵愾心をむき出しにするところが、大人げないし、国民から「やはり共産党は怖い」と思われてしまう所以ですな。

松竹君の言う、委員長公選だって、志位君が22年やっていることを考えれば、当然出てくる議論だよね。しかも共産党は元委員長の不破哲三君が常任幹部会委員として、いまだに隠然たる力を誇っているというじゃないの。彼は93歳。かつてのソ連やチャイナのように死ぬまで独裁、と何も変わらないよね。

共産党はいつまで閉鎖的、独善的な党であり続けるんだ、時代錯誤も甚だしい、とここまで考えて、ちょっと待てよと思った。

共産党が独善的、閉鎖的なのは当たり前で、それを批判した松竹君は、実は共産党の本質を理解しないまま党員として活動していたということなんじゃないの。

プロレタリア独裁を民主集中制といいかえても、中身は党のトップによる独裁だから、自由とか民主主義とか、まして開かれた、なんてこととは無縁であるのが共産党ですよ。それに対して、「時代錯誤、独善、閉鎖的」なんていうのは意味のない批判だね。譬(たと)えは悪いけど、暴力団に「暴力的だ」と言っているのと同じ。共産党が開かれてしまったら共産党ではない。松竹君は共産党の本質を知らないで、党員として活動してきたことになる。

共産党が共産党である以上、いつまでも独善的、閉鎖的な党であるべきで、いまさら開かれた党なんて、ちゃんちゃらおかしい。党の在り方をきちんと理解していない者、異論を唱える者、文句を言う者は片っ端から除名して、上から下まで一枚岩、上意下達、有無を言わせぬ統制で独善的、閉鎖的、排他的にこれからも頑張ってほしいね。

国葬（令和4年10月）

安倍晋三君の国葬が行われましたね。それにしてもなんとも賑やかな国葬であったことか。お葬式というものは普通しめやかに行われるものですが、今回の国葬は、会場の外で「国葬反対」を叫ぶ人たちが集会を行い、デモを繰り広げ、献花に訪れた人と小競り合いになるなど、なんとも派手なことでありました。

その直前にイギリスのエリザベス女王の国葬があったばかりだから、日本の元首相の国葬がいかに、国民の理解を得ていないかを、いや、国葬であるにもかかわらず、騒ぎ立てる人が日本には多くいることを、世界に喧伝することになってしまったよね。

さて、安倍君の死は傷ましいものでした。奈良県の駅前の道路の三叉路のようなところで、小さな台の上に立って応援演説をしていたところを、手製の銃で撃たれて、ほぼ即死となってしまったわけです。アメリカではなく、日本で起こったことが驚きだったし、撃った男が元自衛官で、「安倍さん個人に恨みはない」などと言いだし、旧統一教会への恨みを話し出したところから、話がややこしくなったよね。

安倍君の政治に反対で、「安倍政治を許さない」とか何とか言って銃撃したなら、これは一種の赤色テロだから、分かりやすかったし、テロに倒れた安倍君は、保守系からは英雄視されたかもしれない。いくら安倍反対派でも、テロ賛成、安倍が死んで良かったとは言えないから、国葬になっても、大きな声で反対できなかったんじゃないかな。それが、旧統一教会との関係をウンヌンされての銃撃ということになったから、話が複雑で、自民党だけではなく、多くの国会議員が旧統一教会との関係を調べられ、「もう関係を断ちます」などと言わされる羽目になっちゃったんですね。でも、犯人が旧統一教会を憎む気持ちはよく理解できるけど、だからといって、安倍君を銃撃するのは飛躍があるよね。

それにしても、あんな三叉路のようなところで、小さな台の上で話をさせるなんて、自民党の奈良県連は何を考えているんだろう。三叉路に向かってダンプカーでもトラックでも突っ込んだら、一巻の終わり。そんなところで演説させた神経が分からない。遠くからは見えないし、安倍君も、こんなところは危険だ、と拒否すべきだったよね。近くに自民党の大型選挙カーが停まっていたんだから、あの上で演説したら、みんなにも見えるし、ＳＰも上から周囲が見渡せる。狙撃者からは遠くなるから、銃撃しても中る確率は減る。というわけで、何から何までお粗末なことでした。

私は安倍君の国葬に何が何でも反対、などと叫ぶつもりはないけど、安倍君が国葬にふさわしいかどうかは大いに考えたらいいと思いますよ。

戦前は国葬令があり、国葬は法的に明文化されていました。天皇、皇后をはじめとする皇族や元勲、元帥の称号を持つ軍人などが対象だったね。しかし、戦後、国葬令は廃止され、法的な根拠があいまいになっちゃった。

戦後初めて国葬となったのは、吉田茂だけど、その理由が延べ7年の長期政権、サンフランシスコ講和条約の全権として、日本の国際社会復帰や日米安保条約の締結、日本経済復興の足掛かりを作ったことなどとされているけど、私としては経済復興を第一にして、国防はアメリカ任せ、日本の伝統や歴史を軽視した首相としか思えない。現在につながる平和ボケの原点は吉田茂にあると思うよ。

じゃあ、安倍はどうだろう。

いわれているのは、憲政史上最長となる延べ8年間の首相在任、多くの外交成果、銃撃による死という悲劇性、ということになっているけど、長けりゃいいってもんじゃない。それは第一次安倍内閣の後の民主党政権があまりにお粗末だったから、自民党が圧勝し続けた結果ですよ。外交には対イランなど、一部見るべきものがあったけど、平成27年の米議会での演説は、「日本は、かつては悪い子でしたが、いまはいい子だから認めてほしい」と言っているとしか私には聞こえなかった。翌28年真珠湾訪問でも謝罪ばかり。特定秘密保護法や集団的自衛権はまあまあとしても、靖国神社には1回しか参拝しなかった。チャイナと韓国に遠慮したわけ？

拉致被害者救済も「安倍内閣の手で」と何回聞かされたか。憲法改正の国民投票法は成立したけど、改正作業は遅々として進まない。「戦後レジームを終わらせる」と言ったけど、憲法は手つかずだ。

他にまともな政治家がいなかったお陰で保守層からは大きな信頼を得たかもしれないけど、私は靖国神社に参拝しないような者は首相として認めたくないね。首相として認められない者を国葬にすることに賛成できない。

口先だけでは何とでも言えるんだ。体調不良で辞任するなんて、死ぬ気で首相をやらなかった証拠ではないかな。

フジテレビ（令和4年12月）

言論機関のはずのテレビ局が言論統制、いや言論封殺をするという信じられないことが起きました。11月6日放送のフジテレビの「日曜報道」という番組です。

「日曜報道」は毎週日曜日の朝7時半から1時間半、時事問題の当事者や識者を呼んで、議論したり解説したりする番組で、フジテレビの男女のキャスター、それに橋下徹元大阪府知事がレギュラーコメンテーターとして出演しています。

この日のテーマはウクライナ問題が中心で、ジャーナリストの木村太郎、それに緊急来日した歴史人口学者で人類学者のエマニュエル・トッドの2人がゲストコメンテーターとして出演しました。

木村は元NHKの記者でニュースキャスターも務め、退職後はフジテレビと専属契約を結んで、キャスターをしていましたね。もう辞めたけど、時々テレビに出てきて意見を言ったりしています。NHK出身には珍しく現実的、常識的な論調の人で、私は悪い印象を持っていなかったけど、今回はびっくりを通り越して憤りを感じた。

発言したのはエマニュエル・トッド。彼は71歳のフランス人で、かつては人口統計論の立場から、ソ連崩壊を予想。平成18年には朝日新聞のインタビューに答えて「日本は世界の現実を直視すべき」「核武装を考えろ」と言っていますね。彼の言いたいことは一種の均衡論で、昭和20年時点ではアメリカだけが核を持っていたから広島、長崎に原爆を落とすことができた。ソ連も核を持った米ソ冷戦時代は、抑止が働いて衝突が避けられた。中東が不安定なのはイスラエルだけが核を持っているから。日中関係は、中国が核を持っているから関係がいびつになっている。日本も核武装することで、日中関係はバランスがとれる、という趣旨の話をしているようだね。令和4年の5月には『第三次世界大戦はもう始まっている』（文春新書）を出してもいる。

こうしたこともあって日曜報道に呼ばれたんだと思っていたら、そうじゃないんだ。トッドが「日本は核兵器を保有すべき。積極的な軍事政策を持つというよりは核兵器を持てば中立的な立場に立てるということなんです」と発言した途端、木村が「絶対それはなし」と発言を遮り、「チャメチャメ」という不規則発言が聞こえ、女性キャスターは「ああ、その議論についてはかなり慎重にすべきかと思います。ここまでで今日はお時間になりました。今朝はエマニュエル・トッドさん、木村太郎さんにお付き合いいただきました。有難うございました」と放送を終わらせてしまった。

これって明らかに核保有の議論を封殺した行為だよね。

トッドは「プーチンを殺せ」「習近平を殺せ」というテロをあおる発言をしたわけではない。日本の防衛力や外交方針について、核を保有する政策を選択することを勧めているに過ぎない。北朝鮮が核実験をする可能性が指摘され、ミサイルを何発も撃っているときに、日本の防衛をどうするか、その選択肢に核保有という議論が出てくるのはむしろ理の当然ですよ。それを「絶対それはなし」などと言って全面的に否定し、発言を一方的に打ち切ることはあってはならないことだよね。それに途中で聞こえた「チャメチャメ」って何だ。トッドはもちろん視聴者にも失礼極まりない。

フジテレビは言論の自由、政策提言の重要性ということが全く分かっていない。いや、分かる能力を欠いている。信じられないくらいお粗末だ。何のためにトッドを呼んだのか、「報道」などと銘打つのはおこがましい。

私はかつて、1年間だけですがフジテレビの報道局に出向していたことがあったんですね。そのとき、痛切に感じたのは、報道のレベルの低さだね。新聞社とは比べ物にならない取材力の欠如、ひとりひとりの記者の意識の低さ、そして組織としての一貫性のなさだね。仕方なくニュースを流しているという感じ。だから、報道局の人材のレベルがとても低い。

フジテレビとしては、バラエティー番組をたくさん作って、スポンサーからたくさんお金をもらって左団扇の会社だったから、問題意識なんていらないんでしょうね。一億総白痴化の権化みたいな会社だったね。私はこんなところにいたら、まともな記者になれないと思って、1年で産経新聞に戻ったんだ。このことについては拙著『産経新聞風雲録』(マガジンランド)に詳しく書きました。

聞けば、いまのフジテレビの報道局長は産経新聞出身だという。産経で記者をやっていても、フジテレビに移って、問題意識が消えたんじゃないの。

フジテレビはフジサンケイグループの中心ということになっているけど、それは金銭面のみ。産経新聞の社員でフジテレビをまともな報道機関だなんて思っている人はまずいませんよ。

あんなでたらめをして、そのままになっているなんて許しがたい。言論封殺したフジテレビの放送認可を、総務省は取り消すべきじゃないのかね。

「センソウハンターイ」（令和5年1月）

旧臘（きゅうろう）、政府はいわゆる安全保障三文書を閣議決定して、反撃能力を持つことにしましたね。

一部の人は「岸田さんがやってくれた。これで日本の安全は担保される」と喜んでいましたが、そんな単純なレベルの話かね。マスコミは「歴史的転換」などといって、日本が戦争を始めるようなことを書いているけど、いままで反撃能力がなかったことが大問題だったんですよ。

木村才蔵のペンネームで執筆した『生き腐れる国との訣別』（展転社、平成13年）で私は、「日本に向けてミサイルを発射する相手国の基地を策源地というが、策源地への攻撃は昭和31年の衆議院内閣委員会の首相答弁でも合憲とされている。（反撃のための）最低限度の装備とはミサイルとタンカーと空母なのである」と書きました。

今回の閣議決定は、この60年以上前の首相答弁をようやく現実の政策として実行するというものです。遅きに失しすぎているよね。

日本に向けてミサイルを撃たれたら、その基地を攻撃するというのは、抑止力の観点からも、国家として最低限の生存の権利ですよ。だから昭和31年の段階ですら、相手（敵）基地を攻撃する権利がある、と当時の鳩山一郎首相はのたもうたわけだね。うつけの孫とは大違い。しかしだ。そうは答弁しても現実には相手国の基地を攻撃する手段を持たなかったのです。なんと無責任な政府であったことか。でも、日米安保もあるし、そこまでやらなくても日本は安全だとタカをくくっていたんだね。だが、状況が激変した。

では、その手段とは何か。それは、私が書いた「ミサイルと空母とタンカー」です。

日本は、ミサイルを持っていますが、持っているのは迎撃ミサイルです。パトリオットと称するもので、射程は数十キロがいいとこ。相手基地、具体的には北朝鮮やチャイナにはとうてい届きません。空母は持っていません。というか、空母そっくりな空母型護衛艦はあります。ひゅうが、いせ、いずも、かがの４艦です。

ひゅうが、いせは同型艦で排水量１万３９５０トン、平成21年から就役しています。いずも、かがも同型艦で排水量１万９５００トン、平成27年から就役しています。いずれもヘリコプター搭載型護衛艦（ＤＤＨ）ということになっていて、戦闘機を搭載できるようには造られていないことになっているけど、垂直離着陸が可能なF35なら搭載可能でしょう。F35は三沢基地などに100機以上配備されています。例えばいずもを日本海に展開させて、日本が攻撃されたり、されることが確実なら、F35を飛ばして敵基地を叩きのめすということはできるかもしれない。

だけどね、空母は防衛が難しい。広い甲板を出して航行しているから、甲板に1発くらったら終わりです。そのために最低4隻のイージス艦と駆逐艦型の護衛艦の護衛が必要になります。これは非常にコスパが悪い。しかも艦船は常に修理の必要があるから、展開できるのは所有している艦船の半分ということになります。出撃できるF35の機数は限られているし、敵の迎撃にも逢うだろうから、確実に敵基地を破壊できるとは限らない。

ではタンカーはどうか。タンカーとは空中給油機のこと。私が『生き腐れる国との訣別』を書いた時点では、日本には空中給油機はなかったけど、いまは持っています。だけど、空中給油機は最高速度がマッハ0・84です。ということは戦闘機に給油しているときは、それよりも速度が遅くなるから、敵国から狙われやすい。給油を受けて出撃するのはF15かF35だろうけど、もちろん敵の迎撃を受けるから、目的達成の可能性は100%とはいえない。

というわけで、何よりも持たなきゃならないのは攻撃型のミサイルということになります。そしてそのミサイルは地下に格納するか、潜水艦に搭載して、敵から攻撃を受けないようにする。さすれば、敵が攻撃をしたり、することが確実になったときに、ミサイルを発射して敵基地を粉砕することができます。これを可及的速やかにやらねばならない。それが日本と日本人の安全のために必要不可欠です。でも政府は「10年後」をめどにしているんだと。相手はこちらの反撃態勢が整うまで待ってくれるとでも思っているのかね。

ところで、閣議決定がなされた日、国会周辺で「センソウハンターイ」と叫んだ集団がいたそうだ。共産党系や社民党系の連中だそうだが、彼らは北朝鮮やシナがミサイルを日本に発射したり、尖閣や沖縄に侵攻してもいい、と思っているんだろうか。いや、そんなことをするはずがないと信じているのかな。いやいや、ひょっとして、北朝鮮やチャイナが日本を占領して、日本が北朝鮮やチャイナの植民地や属国になることを望んでいるのかもしれない。そうでないなら、永田町で叫んでないで、平壌や北京に出かけて行って「センソウハンターイ」と叫ぶべきだろう。そして逮捕、監禁され、強制労働に就かせられて、永久に日本に帰って来なければいいのでございます。

国連安保理（令和5年2月）

国際連合に安全保障理事会というのがありますな。常任理事国5カ国、非常任理事国10カ国の計15カ国で構成されております。日本は名誉（?）なことにこの1月、非常任理事国として安保理入りを果たしました。非常任理事国は国連に加盟している国から地域ごとに互選されて選出されるのですが、アジア代表として、日本はこれまで最多の安保理入りだそうです。

さて、その安保理、今回の最大のテーマはロシアによるウクライナ侵略問題です。その次が昨年、年間で最多のミサイル発射を行った北朝鮮問題でしょう。

国連は第二次世界大戦を阻止できなかった国際連盟の在り方を反省して、1945年に発足しました。国際連合と名乗っているけど、この連合は連合軍の連合で、国連憲章には日本やドイツなどの旧枢軸国を敵国と規定した敵国条項というのがあるんですな。アメリカ、イギリス、フランス、ソ連、中華民国という第二次世界大戦で戦勝国の側に立った5カ国が作ったものだから、日独は敵国なわけです。しかこれはあまりに時代錯誤だというわけで平成7年、「将来的に削除する」ことが決められました。決められたけど、まだ削除されてないいんだね。変でしょ。それはソ連の後釜のロシアと中華民国の後釜にちゃっかり座ったレッドチャイナ=中共が、拒否権をちらつかせているからなんだそうです。ロシアからするとドイツは怖いし、チャイナからすると日本は怖い。

戦勝国と書いたけど、ホントに勝ったのはアメリカだけだよね。イギリスはドイツのVI、VIIロケットにさんざんロンドンを爆撃され、アジアでは香港、マレー、シンガポールを日本軍に落とされた。フランスはドイツに完敗。いいとこなかったよね。ソ連はドイツと一緒にポーランドを分割占領した、いわば枢軸側だったけど、ヒトラーが独ソ戦を始めたお蔭で連合軍側に鞍替えして漁夫の利を得たわけで、終戦直前の満洲侵略なんかは、戦勝国ではなく、ドロボーネコ、いやゴートーサツジンネコですね。

中華民国の国府軍、蔣介石軍に至っては、日本に勝ったことなんかないじゃないか。連戦連敗の見本のような戦いだった。あれでも軍隊かね。

ところが、チャイナが国連に加盟したから、中華民国は国連を脱退して、なんとゲリラ組織だったチャイナが安保理入りしてしまった。はっきり言うが、中共は連合軍でも何でもないですよ。

そんなうさんくさい国々でスタートした国連だけど、安全保障理事会なるものをでっちあげて、この5カ国が常任理事国になって、なんと拒否権を持ってしまった。というか、お手盛りで拒否権を作っちゃったんですね。

安保理の目的は安全保障、要するにどうすれば戦争にならないか、戦争になったら、どうやって解決するかを話し合う場、ということだね。しかし、安保理が機能したのは昭和25年6月の北朝鮮による韓国侵略の朝鮮戦争のときだけ。このときチャイナは中華民国で、ソ連の外相が急に本国に呼び戻されたため、安保理はソ連抜きで開かれて、国連軍の派遣が決定したんですな。しかし、国連が国連として実力で戦争や紛争に介入したのはこれだけ。あとはPKOやPKFの派遣でお茶を濁すのが関の山。

ましてウクライナに侵略しているのは安保理の常任理事国であるロシアそのもの。そして中華民国の権利を横取りした中共はロシアの侵略や北朝鮮のミサイル発射に肩入れしているから、というか、反米路線で一貫しているから、ロシアや北朝鮮を非難する決議にはすべて拒否権。これじゃ、安保理不全、安保理不要といわれても仕方ないね。

中華民国に代わって中共が国連に加盟したからって、安保理に入れることはなかったし、ソ連からロシアに代わったのなら、常任理事国の座を降りさせるべきでしたね。

国連の創設は仕方なかったし、安保理の設置も認めるとしても、拒否権というのは、5カ国お手盛りに過ぎない。拒否権がある以上、何も前に進まない、まして、拒否権を持つ国が侵略戦争をしているだから、警官が強盗をしているようなもので、安保理なんか、なんの役にも立たないですね。

この際、安保理を廃止して、すべては国連総会に委ねてはどうかね。実力制裁は3分の2、あるいは5分の4以上といった大多数で議決するようにすれば、ほとんどの加盟国の賛成で、国連は国連軍を現地に派遣できる。そうなれば、多国籍軍や有志連合といった名前ではなく、堂々と国連軍として侵略に立ち向かえるんだけど、そうなったとき、日本は国連軍に自衛隊を日本軍として派遣する覚悟があるかな。日本人が大好きな世界平和のために、日本人が血を流し、命を失う可能性を自覚できるかな。非核三原則なんて、寝言をいつまでも言っているようでは、世界平和への貢献なんて夢のまた夢、安保理不要なんて言う資格はないと言われるね。

大江健三郎（令和5年4月）

大江健三郎が死んだ。死んだ者に鞭打つのは好むところではないけれど、この男には一言いっておかなくてはならない。というのも、彼が死んで、日本中のテレビ、新聞が、産経もふくめて彼を悼み、彼の業績をたたえるような記事や論評、談話を載せたからです。

平和への意思、魂の文学、良心の救済を求め続けた作家だなんて世迷言を並べたてた。だけど、どれも彼の本質をまったく見ていないね。私は彼の小説をかなり読みました。しかし、感心したものはない。『セヴンティーン』なんて、主人公の姉である自衛官を貶める意図を持った下品な作品です。言葉も汚い。『みずから我が涙をぬぐいたもう日』は三島由紀夫の自決に触発された作品というけど、何が言いたいのかさっぱり分からなかった。多分、大江は三島の意図が読めなかったんだろう。どこが魂の文学で良心の救済なんだ。ノーベル賞のレベルの低さを物語っているだけだよ。

彼について、多くの問題が指摘できるけど、2点について指摘しましょう。1点目は昭和33年6月25日の毎日新聞夕刊憂楽帳に書いた彼のコラム「女優と防衛大生」です。この中で、彼は「ぼくは、防衛大学生をぼくらの世代の若い日本人の弱み、一つの恥辱だと思っている。そして、ぼくは防衛大学の志願者がすっかりなくなる方向に働きかけたい」と書いたことですね。大江は昭和10年1月生まれで防大1期生と同年です。

このコラム、簡単に言うと、防大生は我々の恥だ。防大生も防大もなくそう、ということです。その論理はおそらく、軍隊があるから戦争が起こる。軍隊がなければ戦争は起こらない。防大生は自衛官という軍人になる存在だから、彼らをなくせば戦争にならない、平和だという発想なんだろうね。これって自動車があるから交通事故が起こる、だから自動車をなくせ、医療があるから医療ミスが起こる、だから医療をやめろ、と言っているのと同じ次元の幼稚以前の戯言ですね。こんな話を載せる新聞の見識を疑うし、こんなことを言う人間の小説を出版する出版社もおかしい。だいいち、防大生に失礼千万ではないですか。それなら私は言う。「ぼくは大江健三郎は日本のひとつの恥辱だと思っている。彼のような人間が日本人であり続けることは日本のひとつの弱みだから、ぼくは大江のような人間を日本からなくす方向に働きかけたい」と。

2つ目の問題は『沖縄ノート』です。大江は日本軍の現地指揮官が沖縄・渡嘉敷島の住民に自決を強要したという話を、大した取材もせずに書いたのだけど、事実は、住民がアメリカ兵に見つかったら殺されるなどという流言蜚語におびえて、現地指揮官が必死に止めたにもかかわらず、集団自決をしてしまったのです。『沖縄ノート』のいい加減さを見抜いた曽野綾子さんが綿密に取材をして、『沖縄戦・渡嘉敷島「集団自決」の真実』という本を書き、この中で、自決命令なんか出ていないこと、現地指揮官は自決を止めたこと、それでも自決してしまったから、軍の命令で自決したことにすれば、遺族年金がでるので、命令があったことにしてくれ、と遺族に頼まれて、その現地指揮官は自分の名誉を捨てて、その申し出を受けたこと、などを明らかにしました。なんと立派な現地指揮官ではないですか。それをまともな取材もせずに、大江は現地指揮官を「あまりに巨(おお)きい罪の巨魁」と書いてしまったのですね。

曽野さんの本が出て、真実が明らかになったにも関わらず、大江は訂正も謝罪もなし、知らぬ顔の半兵衛。これってまともな作家、いや人間のすることかね。

堪忍袋の緒が切れた現地指揮官の遺族が名誉棄損で大江を告訴したんですが、裁判所は訴えを認めなかった。めちゃくちゃですね。この男のどこに良心があるのかね。ノーベル賞をとると名誉棄損をしても、裁判所は有罪にできないのかね。

要するに、大江という男は左翼イデオローグなんですよ。作家であることは彼にとってはとても都合のいい仮面です。ましてノーベル賞を受けたことで箔が付いた。となれば、彼の言うことを金科玉条と聞く人間が出てくる。そこで左翼イデオローグの本領発揮。事実かどうかは二の次、とにかく日本軍は悪い、日本政府は悪い、それを高みから書きまくる、ノーベル賞を受賞した作家だから、誰も文句を言わない、事実、真実だと受け入れてしまう。それが狙いなんだね。

と、ここまで書いて、そういうやり方ってどこかで見たな、そうだ、朝日新聞だと思った。朝日新聞の慰安婦報道はまさに瓜二つ。始めに結論ありき、結論は正しいかどうかどうでもいい。取材をして都合の悪い事実が明るみ出ると困るから取材はしない。とにかく日本と日本軍を貶めることができれば大成功。というわけで朝日新聞は新聞ではなく、左翼イデオローグなわけです。大江は死んだけど、朝日にも一日も早く終焉の日が来ることを願っています。

反スパイ法（令和5年5月）

ユーラシア大陸東部を占領して、中華人民共和国を自称している共匪集団がこともあろうに中華民国を追い出して国連に加盟し、常任理事国となって久しいですが、日本はこの共匪集団と国交を結び、大使の交換までしているね。その駐日大使と称する男が新たに赴任したとして東京都内の日本記者クラブで記者会見をしたんですね。

大使と称する男の名は呉江浩。かなり強面で喧嘩を売りに来たような顔をしてたね。

予想通りですが、彼は日本がアメリカに追随して、チャイナ包囲網の一環を担っているとして、「中国の脅威を喧伝することで軍事拡張をしている」と日本を非難したそうだね。日本が防衛費を増やそうとしているのは、北朝鮮がミサイルを撃ちまくったり、共匪集団が台湾を侵略するかもしれないと考えているからで、「軍事拡張」の原因をつくっているのはあんたでしょ。いつもながら居直り強盗的発言ですな。

台湾に関しても「武力行使の放棄を約束しない」「台湾有事は日本有事との見方は有害だ」

などと予想通りの紋切り型発言を繰り返したそうだね。

だが、私が最も注目したのは、共匪集団にスパイとして拘束された日本人についての記者の質問に対する回答です。

彼は臆面もなくこう言ったのです。

「彼（アステラス製薬の社員）のスパイとしての犯罪はますますはっきりしたものになっている。反省し、手を引くのは彼に中国へのスパイ行為をさせている人、あるいは機関であり、これは中国の主権が侵害されていることなのだ」と。

共匪集団がとんでもないスパイ行為をしたと言い張るのは目に見えていたけど、じゃあ、どんなスパイ行為をしたかね。主権の侵害だというなら、逮捕をした行為の説明、条文の明示をしなくてはならないよね。ところが、それがまったくない。なぜか。スパイ行為と認定できるものは何もないからですよ。そして条文なんてどうにでも解釈できるものでしかないからですよ。要するに自分たちの都合でスパイにでも何にでもでっち上げられるということ。

国家権力が恣意的に個人を犯罪者に仕立て上げるのは共産主義のお家芸だけど、それを外国人にまで適用して、自国の利益につなげようというわけだね。

ところで、スパイ、スパイと騒いでいる共匪集団だけど、彼らが根拠としているのは2014年に制定した反スパイ法です。自分たちは法治国家だと強弁するために、こんな法律を作ったんだけど、この内容がまたすごい。

ふつう、罰則をともなう法は具体的に犯罪行為を規定するわけです。例えば、人を殺したら最高刑は死刑とか、物を盗んだら10年以下の懲役または50万円以下の罰金とかね。

ところが反スパイ法には「中国の国家安全に危害を加える活動」としか書かれてなくて、具体的に何がスパイ行為なのかは全く触れていないんですね。さらにスパイ行為だけではなく、その任務を受けたり、ほう助、情報収集、金銭の授受をしたりしても反スパイ法が適用されるのです。つまり、スパイ行為とは知らずに何らかの協力をしても逮捕される。しかも最高刑は死刑。すごいでしょ。

このとんでも法が改正されることになり、ようやく共匪集団も自分たちの野蛮さに気が付いて、欧米並みの法律にするのかと思いきや、昨年12月に発表された内容は、さらに驚くものだった。

スパイ行為の内容はあいまいなままで、それに加えて、「その他、国家の安全と利益にかかわる文書やデータ、資料、物品」の提供も盛り込んだんですね。情報インフラや国家機関へのハッキングもスパイ行為にあたるとしているんです。

国家の安全とは何かについては何も書かれていないから、共匪が「これは国家安全にかかわる」と決めたら、それに関係した行為はスパイ行為とされて、拘束、逮捕。通常は数年間、裁判なしでほっておかれ、内国人の多くは廃人になるか、死ぬまで拘束、外国人は外交の材料として使われるわけですね。

日本人ビジネスマンが共匪集団の政策担当者と会って、商談の話から予算などに話が及んでもスパイとされる危険があるわけだね。

チャイナでは同法施行の翌年の２０１５年以降、17人の日本人がスパイとして拘束されています。それに対して日本政府は口頭で抗議をしているだけで、具体的な動きをほとんどしていない。この改正法は７月１日から施行されるそうです。新型コロナ問題も下火に向かいつつあって、多くの日本人が海外旅行に出かけ始めています。チャイナに行く人も多いだろうけど、いつでもだれでも反スパイ法の魔の手にかかって拘束されてもおかしくない。

日本人のみなさん、チャイナに行くのはやめましょう。行くなら台湾にしましょう。だって、チャイナで拘束されても、日本政府は何もしてくれないですよ。そして政府はスパイ防止法を作れ。

徴用工（令和5年6月）

韓国の大統領が尹錫悦君に代わってから、日韓関係は大きく好転したと報じられていますね。さて、何がどう好転したのか。徴用工問題では「日本は謝罪しろ、賠償しろ」の一点張りだった文在寅政権と違い、尹政権になって、韓国政府自らが解決策を発表したんですね。それは日本企業に代わって韓国政府傘下の財団が元徴用工や遺族に賠償金を支払うということとです。

前にも書きましたが、韓国の大法院（日本の最高裁）は法律を全く理解していないから、昭和40年の日韓基本条約を無視して、元徴用工に賠償しろ、という「とんでも判決」を出したのですな。日本は当然無視。すると、在韓の日本企業の財産を差し押さえて、そこから原告に賠償金を出せるようにしてしまった。国家ぐるみの詐欺・横領のような事案ですな。

日本政府は猛反発、そんなことをしたら日韓は永久に友好状態になれない、などと言ったのですが、別に韓国と友好状態である必要はないわけで、取られた金は在日の韓国企業の財産を差し押さえればいいだけです。まことに何とかにつける薬はない。しかし、韓国にも少しは北朝鮮が悪い国だと思っている人がいるらしく、北との協調ではなく、日韓で北と対抗する方がいいという、当たり前の考えの尹君が大統領となりました。

将来、彼がどういう態度に出るかは分かりませんが、日本を訪問し、岸田君も韓国を訪問し、シャトル外交を復活させ、徴用工についても、大法院判決はそのままにして、判決で出された賠償金を韓国政府傘下の支援財団が支払うことで決着させようとしたわけです。要は韓国の裁判所が出した判決を韓国政府傘下の団体が履行するということ。日本政府、日本企業は知ったことではないから、それで終わりになれば、とりあえずは状況終了というわけです。韓国政府としては日韓関係をこれ以上こじらせないための苦肉の策を考えたということだね。

ここまでみてくると、尹君は健気にやっているようにみえるので、ことさらに韓国を非難するのは得策ではないようにも見えますが、問題が二つあります。

第一。韓国政府は徴用工裁判での立場を明らかにはしていないということ。文政権は司法の判断を尊重すると言って、大法院の判決が国際法違反であることに頬かむりをしてしまった。日本政府はこの判決を国際法違反であるから、当然、認めていないから判決結果は宙に浮いているのです。反日派は日本政府が判決を履行しないなら日本企業から取れ、と騒いだわけです。だから今回の尹政権の決定は弥縫策に過ぎないということ。日本政府が弥縫策を認めたとしても、判決を受け入れたわけではないことをはっきりさせないといけないね。

第二。それでも反日を叫ぶ連中は徴用工問題で日本を弾劾し続けているということ。だけどね、そもそもから間違っているんですよ。戦争で日本人工夫が兵隊にとられていなくなったから朝鮮人工夫を徴用したわけで、希望者はかなりの数に上り、給与をふくむ待遇は朝鮮にいる時よりずっと良かったのです。だから、徴用されて日本に来て働いた徴用工と称する人々は、朝鮮で働いていた労働者よりずいぶんといい暮らしをしていたんだね。ということは日本に来た徴用工は日本に感謝こそすれ、弾劾するものは何もないのです。まあ、個人的にはいろいろあったろうけど、それは日本人も同じ。だから、彼らは日本に感謝決議をしなくちゃいけないくらいだね。

しかし、戦後の韓国はすべてを日本のせいにしたから、慰安婦も徴用工も事実は大事にされたのに、虐待を受けたことにされて、日本糾弾に使われてしまった。

反日の人々はその事実を知らないで、あるいは知る努力を怠って、日本が残虐なことをしたと信じているんですね。だから、日本政府は大法院判決が国際法違反であると訴えるだけでなく、慰安婦や徴用工が実は大変大事にされていたことを発信していかなくてはいけない。韓国人が日本に来れば稼げる、と考えるのは何も過去の時代ばかりじゃないですよ。

いま日本で活躍する韓国人の女子プロゴルファー、何人いるか知ってますか。28人です。彼女たちはツアープロです。全員、日本でプレーして賞金を頂いています。日本人の女子プロで、現在ツアーに参加しているのは約300人。このうち賞金を獲得しているのは約200人です。約100人は賞金に手が届いていないのです。毎週開催される女子ゴルフの大会には必ず韓国人の名前があります。

彼女たちは日本政府や日本人が韓国から無理やり連れて来たんですかね。それとも日本の方が儲かるから自分の意思で来たんですかね。韓国政府、韓国大法院、そして韓国人一人一人が自分の国の歴史をしっかりと学ぶことお薦めします。

レーダー照射（令和5年7月）

浜田靖一防衛相と韓国の李鐘燮国防相は6月、シンガポールで二者会談を行って、北のミサイル発射を非難するなどしました。日韓の防衛相の会談は実に3年半ぶりだというから驚きだね。北朝鮮の属国と化した文在寅政権を考えれば、日本の防衛当局と話をするなど、金正恩君が許してくれないから、会談をしなかったということだろうけど、なんとも情けない国だね。

ところで、今回の会談の最大の焦点は平成30年12月に能登半島沖の日本海で行われた韓国海軍の艦艇による海上自衛隊の哨戒機に対する火器管制レーダー照射問題のはずでした。火器管制レーダー照射は、実際に射撃する前に照準を合わせるために行うもので、味方はもちろん、第三者にも行うものでありません。これを行うことは明らかな敵対行為になるからです。それを韓国海軍艦艇が日本の自衛隊の哨戒機に行ったわけです。むかしなら戦争だよ。

今回の会談で浜田君はこの件を指摘したというけど、李某は「レーダー照射はしていない」とこれまで通り否定して逃げた。ところが浜田君はそれ以上の追及をせず、結局、「再発防止策を協議することを加速する」という意味不明の「合意」でこの問題は有耶無耶になってしまった。だけど、それでいいのかね。

日本はアメリカと日米安保条約を結び、韓国もアメリカと韓米安保条約を結んでいる。日本と韓国は直接防衛条約を結んでいないけど、アメリカを介して防衛協力を行うことを前提としていますね。なぜか。北朝鮮という人類史上最低の軍事独裁国家が隣りにあるからですよ。ところが文政権がこの人類史上最低の国家の奴隷となり、なんと韓国軍も政権の意に沿って、反日となって敵対行為をしたんですね。

だけど、尹政権になって北朝鮮に対する認識が変化して日韓、米韓を重視することになったわけ。だから、日韓防衛相会談となったんだけど、だったら、文政権時代の対日犯罪を認めて謝罪し、二度としないことを確約しないと軍隊同士の信頼は得られないよね。

自衛艦旗の問題もそうだけど、自衛艦旗を「戦犯旗」などといって自衛艦の寄港に反対するなんて、バカガキの態度だね。ところがこのことも今回は「問題なし」となった。

要するに韓国軍というのは、政権の言いなりで、文政権なら「北にすり寄って反日反米」、尹政権なら「北を非難して日米と協力」ということらしい。つまり国軍としての理念も思想もないということですな。こういうのは国家の軍隊ではない。大統領の私兵ということですよ。

平成25年12月にはこんなことがありました。

南スーダンで戦闘が激化。日本の自衛隊もＰＫＯで出動しましたが、韓国軍も同じく出動。それぞれの持ち場も近かったんだね。そしたら韓国軍の宿営地に銃弾が撃ち込まれ、韓国軍は応戦したけど、弾丸が少なくなってしまい、米軍に弾丸の補給を要請しました。だけど、米軍も残弾が減っていて応じられなくて、韓国軍は自衛隊に弾丸の補給を要請してきた。現地自衛隊は日本政府にお伺いをたて、人道支援の名目で、武器輸出三原則の例外として5・

56ミリ銃弾1万発を供与したんですな。韓国軍は大喜び、そして大感謝。

ところがだよ。韓国軍が自衛隊から銃弾の補給を受けたことを知った韓国与論は怒り爆発。「日本軍から銃弾の補給を受けるのは国の恥」と騒ぎ立てた。何ともこどもだね。そしたら、韓国軍は「自衛隊から銃弾の補給を受けた覚えはない」とウソを言って開き直ってしまったんですな。これ、まともな国、軍、人のやることかね。

現地での補給は双方の指揮官、将校が立ち合い、日本の官邸、防衛省、外務省で議論をしているから事実無根なんてことはあり得ない。レーダー照射問題も照射を受けた哨戒機の計測諸元を突きつければ韓国は反論できない。

はっきり言って、この国の政府も軍隊もウソつきだ。こんな国の国防相といくら議論しても、安心して共同で作戦を遂行することなんかできない。自衛官は政治に口出しできないことになっているから、何もいわないけれど、浜田君がこの問題を棚上げにしてしまったことに失望し、士気を下げていることは間違いない。

岸田君、浜田君、よく聞きなさい。軍隊とは、同じ軍隊内でも信頼関係がなければ作戦はできないのはもちろんだけど、友軍であろうとも国が違えば作戦はおろか、行軍すら一緒にはできないもんなんですよ。それがこれだけの犯罪、不正を犯し、ウソを並べ立てる国とどうして共同で作戦ができるのかね。まずは、もう一度李某を呼びつけて、信頼関係を築きたいのなら、事実確認、責任者の処分、国家と軍の謝罪をさせるべきだろう。そうでなければ、あの国とは付き合う必要はない。ついでに岸田君の〝優秀な息子〟を海上自衛隊に入れて、哨戒機の搭乗員として訓練したらいい。首相だったら少しは国のことを考えろよ。

共産党100年史（令和5年8月）

まことにおめでたいことに日本共産党が昨年、結党百年となり、このほど「日本共産党の百年」という党史を編纂したとのことです。志位和夫委員長おん自ら、記者会見をして、その内容を解説しました。

「20年前に80年史を出しましたが、それに20年をただ付け加えたというものではなく、100年で党が到達した政治的、論理的、組織的到達点を踏まえて党史の全体を振り返って叙述しました」とのたまいました。相変わらず意味不明の物言いだね。共産党らしい韜晦（とうかい）というやつだろう。

これまで何回も書いてきたけど、共産党の退潮が止まらない。国会、地方議会いずれも議員は減り、得票率も減り、「しんぶん赤旗」の購読者も減り、平成、令和といいところがない。党首を公選にせよ、もっと開かれた党になれ、と叫んだジャーナリストや地方議員は「党への攻撃だ」としてあっさりと除名されてしまいました。「それは異論封じだ、民主的ではない」と書いた、本来共産党にシンパシーがあるはずの朝日新聞や毎日新聞にも、「悪意がある」「不愉快だ」と噛み付いた。

私から見ると、実に共産党らしい対応で、さすが民主集中制という名の独裁を党是にしている党の威厳を保ったと拍手喝采だね。

では百年史は、こうした退潮をどう説明しているんだろう。

残念ながら「百年史」はまだ世間に出ていないのです。秋に刊行するそうだ。だから誰も読むことができない。記者会見で志位君が記者諸君に内容を書いたパンフレットのようなものを配布しただけです。それをもとに志位君は内容の説明をしたのです。

そのパンフレットのようなものから判断するしかないけれど、どう書いてあるかというと、「長期にわたる党勢後退から前進に転ずることに成功していない」と書かれているそうだ。

要するに現状をそのまま書いているだけで、分析も対応もないってことかな。これじゃ折角、百年の政治的、論理的、組織的到達点が泣くんじゃないの。

党史でもう一つ笑っちゃったのが「我々は無謬ではない」という理屈。共産党の無謬論は異常、という批判を気にしてのことだろうが、１９５０年代の武装闘争を「間違いであった」と認め、間違いを認めたから「共産党無謬論はおかしい」というわけです。間違いを犯すし、それを認める謙虚な政党だといいたいのだろう。ところが、その中身は、「党の正式方針とは縁のない集団の活動は党への国民の信頼を大きく傷つけ、日本の革命運動に大損害を与えた」とまるで共産党とは関係ない連中の行動、という態度をとっている。だけど、事実は武装闘争が失敗したから、路線変更して、武装闘争を主導した連中を除名したということだろ。譬えは悪いが、暴力団が組員にヒットマンをさせおいて、都合が悪くなったら、その組員を破門して、「ウチの組員ではありません」と言っているのと同じだよね。私はかつて、新潟市で窃盗事件を起こした共産党員の取材をしたことがあったが、党の市委員会から「すでに除名しているから党員ではありません」と言われたことがあった。窃盗で逮捕された日から遡って除名するわけだから、そういう理屈になるんだね。卑怯千万ですな。党を信じて武力闘争を頑張って梯子を外された者たちこそいい面の皮だ。

そして共産党のあまりの非民主的独善的、無謬的態度が各分野から攻撃されていることについては、「攻撃されるのは革命政党だからだ。誇りをもって打ち破ろう」と委員長がのたもうているとか。

まず、自分たちが攻撃されるのは「革命政党だから」という論理がおかしい。革命政党であろうがなかろうが、おかしなところがあるから、あるいはそう思われるから攻撃されるので、革命政党かどうかは関係ない。もうひとつ。そもそも彼らが革命政党だと思っている人は日本にも世界にもまずいないということ。共産党が革命政党で危険極まりないと言っているのは、公安調査庁や警察の一部だけ。彼らは自分たちの存在意義のためにも、共産党にはいつまでも「危険な革命政党」でいてほしいから、そう言っているだけです。

街でビラを配っている共産党の人はまず間違いなく老人です。彼らには長時間デモをする力もありません。党員の平均年齢は公表されていないけど、60歳は超えているんじゃないの。共産党員に警察官が駆け寄るのは、「何やっているんだ」という反革命的取り締まりのためではなく、「大丈夫ですか、転ばないように気を付けてください」という老人保護だろう。彼らは1キロ2キロ歩いたらへばっちゃうよ。革命どころじゃない。それとも屈強の武装集団をどこかで隠れて養成しているとでもいうのだろうか。

共産党は自分たちの党史を「苦闘の百年」と自賛しているそうだけど、歴史だけは古いけど、何年たっても大人になれない駄々っ子党。百二十年史が書けるときまで存在していられるのかな。

習近平政権（令和5年9月）

習近平チャイナが発狂状態ですね。東京電力福島第一原発の処理水放水開始と同時に、すべての日本産水産物の輸入を禁止すると発表しました。さらにチャイナ国内の食品業界に対しても、日本産の水産物の加工、調理、販売を禁止すると発表したのです。国連に加盟している国家が出す発表としてはあまりに非常識、不見識、悪意に満ちたものだね。おまけに嫌がらせ電話攻勢。

チャイナにも原発があって、処理水を東シナ海などに放出しているんだけど、チャイナ自身が行った2021年の調査で、17か所の観測点のうち13か所で放射性物質のトリチウムの濃度が基準値を上回っていたそうだ。ことし8月初めに「中国の公式資料によると」として共同通信が伝えましたね。この報道にチャイナ政府が反論したという話を聞かないから、共同通信の報道は正しいということなんだろう。報道によると、13か所では福島の基準値の上限を超えたそうだ。

とくにひどいのが浙江省の秦山原発で1年間に218兆ベクレルのトリチウムを垂れ流したそうだ。日本の基準値の上限が20兆ベクレルだから、汚染度は10倍以上というわけです。浙江省に面している東シナ海、海流は北上するから、その北側の黄海海域の魚介類を食べているチャイナ、韓国の人々は深刻な被害を受ける可能性があるね。東シナ海や黄海の魚よりも福島の魚の方がずっと安全だということだ。

東シナ海、黄海とくれば九州はもちろん四国、本州にも大きな影響がある。こうした報道があったら、外務省はただちにチャイナに調査と報告を求め、抗議すべきなのに何もしていない。なんとも情けない。

今回の福島の処理水については放出翌日の水産庁の調査で、トリチウムの濃度は基準値の下限より低かった、と報告されているから、それが正しければ日本は非検出ということになる。チャイナは上限値より高いことになり、上限値より高い国が非検出の国を非難するという前代未聞の茶番劇が演じられていることになりますね。

チャイナは世界の笑い者で、眉を逆立てて、こんなことを言わされているチャイナの報道官が気の毒だね。

福島の処理水放出で居丈高になっているチャイナは、日本に毒入り餃子を輸出した過去があります。平成19年12月から1月にかけてメタミドホスという有機リン系の殺虫剤が混入したチャイナ産の輸入餃子を食べた日本人10人が食中毒にかかったんだね。幸い死者は出なかったけど、翌2月には農薬ジクロルボスが混入した餃子が見つかり大騒ぎになった。日本人の多くはチャイナ産の餃子を食べなくなった。私はこのとき産経新聞で編集長をしていたから、毒の名前まで記憶に残っている。だから、日本人の多くはチャイナ産の食品は怖い、と思っています。チャイナではどれだけの人が毒入り餃子で被害にあったんだろうね。チャイナ政府は知らん顔をしているから実態は不明のまま。

それがどうだい。今回のチャイナ政府の物言い。盗人猛々しいとはまさにこのことだ。

日本政府は「科学に基づく対応を」などと抗議しているけど、チャイナの発想は「処理水の放出が科学的に安全かどうか」なのではないのです。日本にちょっとでも瑕疵（かし）があれば、これを言い募ってことを大きくして外交のカードにしようということなんです。まことにいぎたないやり方だけど、ある意味これは外交の常識でもあります。これをやっていない国は世界では日本ぐらいじゃないの。

外交の基本は相手をなだめたり、説得したり、理解してもらうまで話し合ったりすることではないんですよ。一言でいうと対抗することです。クラウゼビッツが戦争は外交の一手段だと言ったのもそういう意味です。

前にチャイナの「反スパイ法」について書いたけど、いま、チャイナに拘束されている日本人について日本政府は何もしていない。チャイナにスパイ扱いされて6年半拘束された鈴木英司氏の『中国拘束2279日』（毎日新聞出版）を読んだけど、北京の日本大使館の対応は一言でいうと「やる気がない」だった。アメリカでは3年前にレビンソン法という法律が制定されて、国務省に人権担当特使を置いて、拘束にかかわった人物を制裁する権利を与えている。日本もスパイ防止法を制定し、同じことをすればチャイナも無茶はできなくなるだろう。

処理水も同じで、日本産の魚介類を買わないなら、日本はチャイナの農業生産物の輸入を止めると言ったらいい。昨年度、日本からチャイナに輸出した魚介類は約2300億円、チャイナから日本に輸入した農産物は約1兆2000億円。日本は対チャイナ分を国内や欧米に振り分け、チャイナからの農産物を国産や東南アジア、欧米に切り替える努力をしたらいい。そうなったら、どちらがホントに困るのか、考えるまでもない。試しに日本政府がチャイナからの全農産物の輸入禁止を検討していると、官房長官が記者会見で話すだけでも効果は出てくると思うよ。何もしないで、何とかの一つ覚えのように「抗議する」「受け入れられない」と言っても、相手は痛くも痒くもないんだから、もっと頭を使ったらどうかね。

三枚舌（令和5年11月）

エライことですな。イスラエルとハマスが事実上の戦争状態に入りました。ウクライナとロシアの戦争そっちのけで、国連も世界の政治家もマスメディアも大騒ぎですね。

今回のきっかけはハマスがガザ地区からロケット弾5000発をイスラエルに向けて発射し、武装ゲリラがイスラエルに侵攻して多くの住民を殺害し、外国人をふくむ約230人を拉致し人質にしたことです。

これに対してイスラエルは予備役兵を召集するとともに、ガザ地区への空爆を開始、10月末時点で、双方で約1万人が犠牲になっています。その8割はガザの住民でそのまた半数が子供だというから、傷ましい限りですな。

考えてみると、イスラエル、すなわちユダヤ人は長い間、差別をされ、迫害され、ホロコーストまで経験した民族だから、自分たちが攻撃されれば、その何倍もの報復攻撃をすることは分かり切ったことだよね。

じゃあ何故ハマスは先制攻撃をしたんだろ。それは存在意義の確認でしょう。エジプトがイスラエルと国交を結び、続いてヨルダン、アラブ首長国連邦（UAE）、バーレーン、スーダン、モロッコなどが国交を正常化し、いまや中東最大のサウジアラビアが国交交渉をしています。

一方でイスラエルの中のもうひとつのパレスチナ人地区であるヨルダン川西岸は、アッバス議長率いるパレスチナ暫定自治政府が曲がりなりにもイスラエルと共存体制をとっています。こうした状況が続くと、対イスラエル強硬派のハマスが世界から孤立し、忘れられるのではないかという危機感から、今回の攻撃を行ったという見方が有力のようだね。

だけど、その見返りとして空爆されて多くの一般住民が殺されることは考えなかったのかな。

ある専門家は「ハマスは一般住民の命なんかどうでもいいと思っている。そもそもガザ地区の住民の7割くらいはハマスを支持していない。ハマスは恐怖政治で住民を支配している。一般住民の命よりも自分たちの存在意義を示すことを優先した」と解説します。別の人は「これは聖戦（ジハード）だから、死んでも楽園に行けると信じているのかも」と言います。

ハマスの攻撃が発端だけど、私は非はイスラエルにもあると思うよ。元はイギリスの三枚舌外交だよね。第一次世界大戦で勝利するためにイギリスは中東の石油、小麦が必要だったし、オスマントルコとも戦ってほしかった。財力のあるユダヤ人の協力も必要、フランスやロシアとの協調も必要だった。そこで、いまのサウジアラビア地区の代表とは「戦争が終わったらアラブの国を独立させる」と約束、ユダヤ人には「パレスチナの地にユダヤ人居住区を作る」と約束、そしてフランスとロシアには「英仏露で中東を分割支配しよう」と約束したんだね。これが三枚舌。

ロシアは革命が起きたし、フランスとはうやむや。そしてアラブ人との約束は反故にされた。アラビアのロレンスはイギリスのウソのためにアラブ人を騙し続け、オスマントルコを攻撃させたけど、晩年は裏切りを後悔する日々だったそうだ。

ユダヤ人は約束を信じて次々とパレスチナに入植、パレスチナ人は追い立てられていく、現在の中東の混乱の元を作ったのはイギリスですよ。

だけど、1997年にイスラエルのラビン首相とパレスチナ解放機構（PLO）のアラファト議長によるオスロ合意で相互承認とイスラエルの占領地区からの段階的撤退が決められたのに、2006年のイスラエル－レバノン戦争で、イスラエル軍がガザ地区に入って合意は崩壊してしまった。加えて塀を巡らせてガザを閉鎖してしまった。

自分たちの住んでいたところを追い出されて、さらに塀で囲まれ、ガザは天井のない牢獄と呼ばれるようになった。

イスラエルのやり方はあまりに非人道的だよね。それを世界一の強国アメリカが後押しをしている。となればハマスのような過激派が台頭するのもむべなるかなですね。

私はどちらの味方でもないけど、5年前にイスラエルを訪問したときの感想もふくめて言うと、私が行ったヨルダン川西岸ではパレスチナ人もユダヤ人も一緒に音楽を聴いたり、食事をしたりしていて、いがみ合っている風には見えなかった。専門家に言わせると、パレスチナ暫定自治政府は統治能力が十分ではなく、治安もふくめてイスラエル政府の援助がないとやっていけないのだそうだ。

第一次世界大戦前まではユダヤ人とパレスチナ人は互いに訪問したり、結婚式に呼ばれあったりして、仲良く暮らしていたそうな。それをイギリスがぶっ潰したわけです。

そのイギリスはいま、自由だ、平和だ、人権だと叫んでいるけど、自分たちが１００年前にしたことを忘れちゃいないだろうね。西洋絶対、キリスト教絶対の思想こそが今日の中東の悲劇の源です。そう考えると、日本が昭和16年12月8日にイギリスに宣戦布告したのはまことに意義深いことであったと強く思いますね。

21世紀（令和5年12月）

21世紀に入って4分の1弱が過ぎましたね。20世紀は戦争と革命の世紀といわれ、人類は繁栄と悲惨を味わったけど、21世紀はどうだい。いまのところ、テロとパンデミックの世紀のようだね。そして再び戦争が首をもたげている。

ところで、歴史主義という言葉を知っていますか。歴史は一定の方向に向かって進んで行くという考えです。歴史法則主義あるいは進歩史観といったら分かりいいかな。この考えを前面に打ち出したのがマルクス主義歴史観です。

ざっくり言うと、歴史は奴隷制、農奴制、封建制、資本主義、帝国主義、革命をへて社会主義から共産主義になり、ユートピアが出現するという考えです。マルクスは歴史を生産手段の所有という概念で考えました。だから、生産手段を誰が持っているかで時代を区分し、すべての人民が生産手段を共有することで、理想の社会になると考えたのです。精神文化などが入り込む余地はないわけで、唯物論とか唯物史観などといわれるんだね。

このマルクスのあまりに単純で杜撰な歴史観を信じて革命に狂奔した若者がどれだけ多かったことか。また、この歴史観は革命を正当化することにも使われたんですね。ただ、経済論の部分としてはマルクスの理論は間違ってはいない、剰余価値説というやつだけど、まあ、その話は歴史主義とは関係ない。

なんでこんな考えが世界を席巻したかというと、そこにはキリスト教の影響があったんですね。ご承知の通り、キリスト教においては最後の審判が行われたのち、神の国が出現することになっています。そこは神の御心にかなった人にとっては天国というわけです。つまりユートピア。

こういう歴史主義はマルクス主義に限らなくて、欧州全体が、世の中は少しずつ平和で民主主義の方向に進んでいくと考えたんですな。実は日本も例外ではない。

江戸時代は封建制で、戦前の日本も完全な言論の自由があったわけではないけど、いまは言論の自由もあるし、平和だし、豊かである。したがって、人類は平和で豊かで自由な世界を目指して進んでいくということだね。現在の世界はまだまだ平和でもないし、豊かでもないし、不自由な国もあるけど、いずれはそうなる、というのが二度の世界大戦を経験し、ファシズムや共産主義の破綻を見た20世紀の人類の思想を形成したんだね。

国連ができ、ユネスコができ、国際赤十字があり、世界の平和のため、豊かさ追及のため、人権擁護のために働いている人は第二次世界大戦前よりも飛躍的に増えている。

ところがどうだろう。いまの世界、20世紀よりもいいだろうか。ロシアはウクライナに侵攻し、イスラエルではハマスのテロを受けてガザに本格侵攻、チャイナはチベット、ウイグル、東シナ海、南シナ海でやりたい放題、北朝鮮はミサイル撃ちまくり、それをどこも止められない。温暖化は進み、グテーレス国連事務総長は「世界は温暖化ではない、沸騰化」とのたもうた。

世界で最も平和で自由で豊かな国の一つとされている日本でも、北朝鮮のミサイルにおびえ、チャイナの尖閣侵攻におびえ、少子化に歯止めがかからず、外国人がでかい面をして街を闊歩し、日本人は小さくなっている。

かつて日本は、政治は三流、経済一流、技術は超一流といわれたけど、いまや政治は五流、経済三流、技術は消えてしまった。どうみても昭和30年代、40年代の方が良かったよね。こう考えてみると、21世紀よりも冷戦時代の方がましだったんじゃないかと思うね。

第一次世界大戦も第二次世界大戦もひどい戦争だったけど、いずれの国も宣戦布告をして戦争を始め、降伏文書に調印して戦争は終わった。捕虜も交換したし、戦争が終われば国も人も交流を再開しました。

でも第二次世界大戦後の戦争で宣戦布告をしたのは中東戦争とイラン・イラク戦争ぐらいのもの。しかも戦争が始まると終わらない。宣戦布告がないんだから、どちらかが殲滅（せんめつ）されるまでいつまでも戦争状態が続く。いま行われているロシア・ウクライナ戦争もどうなるかな。そして重要なことは日米、米独、独仏、英独などのように戦争が終わったら、交流が再開されるのではなく、憎しみの連鎖が半永久的に続くということ。戦争に終わりがみられず、憎しみは増すばかり。

私は21世紀というのは、どうやら人類の滅亡の始まりの世紀だと思うね。戦争、紛争、環境、人口、食糧、飢餓、独裁、圧政、そしてパンデミック。世界の難民は1億人を超えている。人類に未来はない。いつかはユートピアが来ると信じたキリスト教やマルクス主義の能天気がいまとなっては懐かしい。果たして人類は22世紀を迎えられるのだろうか。

大野敏明（おおの　としあき）

昭和26年、東京都生まれ。50年学習院大学卒、同年産経新聞東京本社入社、社会部次長、特集部長、大阪本社文化部長、編集局編集長などを歴任。元東京医科歯科大学医学系大学院、亜細亜大学、国際医療福祉大学各非常勤講師、元拓殖大学客員教授。軍事史学会会員。

『知って合点 江戸ことば』『日本語と韓国語』『西郷隆盛の首を発見した男』（以上文春新書）、『歴史ドラマの大ウソ』『坂本龍馬は笑わなかった』（以上産経新聞出版）、『新選組』『切腹の日本史』（以上じっぴコンパクト新書）、『詳説 世界の漢字音』（慧文社）、『不都合な日本語』（展転社）、『産経新聞 風雲録』（マガジンランド）など著書多数。

新・不都合な日本語

令和六年三月六日　第一刷発行

著　者　大野　敏明
発行人　荒岩　宏奨
発　行　展　転　社

〒101-0051 東京都千代田区神田神保町2-46-402
TEL　〇三（五三一四）九四七〇
FAX　〇三（五三一四）九四八〇
振替〇〇一四〇―六―七九九九二

印刷製本　中央精版印刷

定価［本体＋税］はカバーに表示してあります。
ISBN978-4-88656-574-7